話し方に
自信がもてる
声の
磨き方

感動ヴォイスクリエイター
伝え方コンサルタント
村松由美子

かんき出版

はじめに

あなたは自分の声が好きですか？

声や話し方に関するセミナーで質問すると、受講者の3分の2くらいの方が「好きじゃない」と答えます。

わかります。その気持ち。

かくいう私も、かつては自分の声が好きではありませんでした。

でも、今は大好きです。

聞き返さなければいけないほど小さい。

妙に高くてキンキンしている。

かすれている。

モゴモゴとこもっている。

大きすぎて威圧的。


本書を手に取った方は、何かしら自分の声にコンプレックスや悩みを抱えているはずです。


実は、**声は何歳からでも劇的に変えられます。**

そのいい例が私です。


声を磨くと、自分に自信がつき、表現力が上がることで、聞き手の心を揺さぶることができるんです。

それが、「感動ヴォイス」。

「感動ヴォイス」とは、あなたが本来もっている「本当の声」のことをいいます。

さまざまな本や雑誌で、「話し方」をスキルアップする方法はたくさん紹介されていますが、私は何より重要なのが「声」だと思っています。

なぜ声が重要なのか。

それは、自分の「本当の声」が出るようになると、性格が前向きになるのはもちろん、自然に周りの人から信頼されるようになります。そして、面白いくらい仕事や人間関係がうまくいくようになります。

これが、人生の7割を声の研究に費やし、のべ4万人の方々の「本当の声」を引き出してきた私の結論です。

大量の情報が超高速で行きかう時代。

知識や情報を得たいだけなら、パソコンの前に座り、検索さえすれば無料でたくさんの情報を手にすることができます。

だから、今は正論だけ言っても、人を動かすことはできません。

リアルの中で、相手の心を震わせ、いかに強烈に惹きつけることができるかが勝負です。

そこには、「感動」という要素が大きくかかわってきます。

●声は心身の状態が映し出される鏡

「そんな、声を変えたくらいで人生が変わるなんて……オーバーな」

あなたがそう思うのも、もっともです。

実際のところ、意識して人好きのしそうな高い声を出してみたり、威厳のありそうな低い声を出してみたり、あえて元気な声を出してみたりと、口先だけで声を変えても、仕事や人間関係はたいして変わりません。

なぜなら、**声は嘘をつけない**から。

詳しくはのちほどお伝えしますが、**声にはその日の体調も、精神状態も、すべてが反映されます。**体調や精神状態がよくないと、声にひずみが出るのです。

ですから、あなたが無理をしていることは、聞く人にかなりバレています。

そんな状態で、「その仕事できます！」「大丈夫です！」と言葉では言っても、声にはどうしても「嘘偽り」の響きが混じります。それに聞き手は違和感を覚えるのです。

人は嘘をつかれることに敏感です。だから嘘が混じった声を聞くと、無意識のうちに「この人に任せるのはちょっと……どうかな」となります。

プレゼンや会議ならスルーされてしまったり、面接だったら落とされてしまったりする可能性もあります。スピーチだったらきっと、げんなりした顔をされるでしょう。

準備をしっかりして臨んだとしても、「なんだかうまくいかない」というあなたは、声に原因がある可能性がとても高いのです。

でも、心配はいりません。

大丈夫。

本当の声が出せるようになれば、状況は面白いくらい一気に変わり、うまくいくようになります。

本当の声にはそれくらいのパワーがあるのです。

声が変わると、仕事も人生も変わる

私は現在、みなさんに感動ヴォイスを手に入れていただくために、企業研修講師やセミナー講師、伝え方コンサルタントとして活動しています。

大学在学中からテレビレポーターの仕事をはじめ、企業のプレゼンテーター、フリーアナウンサー、ニュースキャスター、ナレーター、CMソング歌手など、声で表現するあらゆる仕事に従事してきました。

そして、社会人になってから大学院に通い、「声とメンタル」の関係について研究し、論文を執筆。ヨーロッパや日本の健康心理学会で発表をさせていただきました。

さらに、声など身体性からメンタルアップにアプローチする身体心理学を学び、心理的な病気予防のアドバイスを行う専門健康心理士の資格を取得。

自分で言うのもなんですが、まさに声マニア、声一色の人生です。

そんな私が、声にまつわる経験と専門知識をフルに詰め込んだセミナーには、さまざまな声の悩みを抱えた方々が集まります。

彼らは一人の例外もなく、本当の声が出ていません。

ですが、レッスンを通じてそれが出せるようになると、いろんなことが驚くほど好転します。


「これまで苦手だったプレゼンで、仕事の交渉がうまくいきました」

「オンラインにCM動画をアップしたら、たった30分で商品の申し込みがありました」

「異業種交流会で立ち話をしていただけなのに、数名から仕事の依頼が入りました」

「スピーチをしたら、『あなたのファンになりました』と言われました」


嘘みたいですが、すべて受講者の方々の実際の声です。

なぜ、このような変化が起こるのでしょう。

ひと言で言うと、本当の声が出せるようになると、声の響きに「嘘偽り」がなくなるからです。

声を変えただけで、どうして響きに「嘘偽り」がなくなるのか？

ポイントは、体の使い方にあります。

本当の声が出る体の使い方を知ると、心のこわばりがほぐれて自然と素直になり、声に虚勢や自衛、自虐やおべっかなどの嘘偽りの響きがなくなります。

なぜなら、**声を変えると体が変わり、体が変わると心が変わる**からです。

この事実を、身体心理学では「心身相関」といいます。

本書では声について、身体心理学の視点からもお伝えします。

●「本当の声」は一生モノのスキル

というわけで、この本でお伝えする最大のポイントは、「感動ヴォイス」を手に入れるための体の使い方です。

姿勢を変える。呼吸の仕方を変える。筋肉の使い方を変える。

たったそれだけのことで、あなたは本当の声を出せるようになります。

すると、自然と印象も説得力も変わります。だから、信頼されるようになります。

同時に、あなたの声は聞く人の耳に心地よく響き、他人の心を揺さぶるようにもなります。

聞いている自分さえ、思わず聞きほれてしまうような、イキイキとした魅力的な声が出るようになるのです。


「自分の声が嫌い……」というあなたは、ちょっと想像してみてください。

生まれてから死ぬまで、ずっと聞き続ける自分の声。

その声がイキイキと魅力的に変わり、自分でも「なかなかいい声だなぁ」とごく自然に感じられるようになるところを。

そんなあなたが話すたびに、聞く人がしっかりと耳を傾けて、笑顔でうんうんと頷いてくれる場面を。

そうなったら、どれほど人とのコミュニケーションが楽しく、どれほどあなたの毎日が充実するでしょうか。


それだけではありません。

実は、本当の声を出せるようになると、聞く人の反応のみならず、あなた自身が変わります。

あなたの声を毎日聞き、**あなたの声の影響をもっとも受けるのは、あなた自身**だからです。

理由は順をおって説明しますが、本当の声を出すための体の使い方をすると、心身がリラックスすると同時にどんどん活性化します。

すると、疲れが溜まらなくなったり、肩こりが治ったり、顔の表情が柔和になったり、婚活ウケがよくなったり、小顔になったりします。

冗談のようですが、すべて事実です（笑）。

自分を変え、聞き手の反応を変え、人生を変える「感動ヴォイス」。

この魔法の声を手に入れて、話すときに聞き手の心を揺さぶる効果的な「伝え方」ができれば、まさに鬼に金棒。

この本では、そんな「伝え方」についても、あわせて紹介します。

●この本の読み方

この本では、５つの章を用意しています。

第1章では、まず「声がもつ影響力」についてお伝えします。

本来は想いを伝えるはずの声が、なぜ聞く人の信頼を損なってしまうのか。

あなたが本当の声を手に入れると、なぜ信頼されるようになるのか。

そして、ひと足先に「本当の声」を手に入れた私のレッスン受講者の方がどう変わったのかも紹介します。

本当の声が聞き手の心を強く揺さぶる理由が、「なるほど！」とおわかりいただければ幸いです。

第2章では、本当の声がもつ影響力が、あなたをどう変えるのかについてお教えします。

本当の声が揺さぶるのは、聞き手の心だけではありません。

声を出すあなた自身も揺さぶります。

これが出せるようになると、心身の健康状態や、あなたの内面がガラリと変わります。もちろん、いいほうに、です。

あなた自身にどんなうれしい変化が起こるのか。

本当の声があなたにもたらすメリットを、この章でぜひ確認してください。

さぁ、第3章からは、いよいよ実践となる感動ヴォイスの基本的な発声法をお伝えします。

「一刻も早くいい声が出せるようになりたい！」という方は、ここからお読みいただいても大丈夫です（もちろん最初からお読みいただければ、よりさまざまなことが腑に落ちると思います）。

第4章では、第3章で身につけていただいた感動ヴォイスを効果的に使いこなす方法についてお教えします。

あなたの必要に応じて練習してください。

そして第5章では、感動ヴォイスで想いを伝えるテクニックを紹介します。

「話す順番」に気をつけたり、話を組み立てる際の「視点」に気をつけたりするだけで、驚くほど相手に伝わりやすくなります。

「何を言っているのかわからない」と一度でも言われたことがある方は、ぜひこの章で紹介するテクニックを身につけましょう。

ぜひ本書で紹介するメソッドで「感動ヴォイス」を手に入れていただき、一緒に感動の輪を広げることができれば幸いです。

それでは始めていきましょう！

目次

第1章 話し方は「声」が9割

第2章 声を変えるだけで、心も体も変わる！

第3章 「感動ヴォイス」を手に入れる 基本の発声

第5章 — 相手の心をつかむ伝え方

カバーデザイン　小口翔平＋畑中 茜（tobufune）
本文デザイン　岩永香穂（MOAI）
イラスト　ナカニシヒカル
ＤＴＰ　内藤富美子（北路社）
編集協力　杉本尚子

第1章

話し方は「声」が9割

声で得する人、損する人

世の中には、声で得をする人と損をする人がいます。

この本を手に取ってくださったあなたなら、すでにそのことに、なんとなく気づいていますよね？


たとえば、社内の企画会議でのプレゼン。

Aさんの企画はいつものように、「いいね！」「面白いよ！」とあっさり通過。

なのに、Bさんの企画は「う〜ん、もうひとつかな」「インパクトがねぇ」なんて言われて毎回没になる。

でも、プレゼンが終わってから改めて企画書を見てみると、書いてある内容はほとんど同じだったりします。こういうことって、けっこうありますよね。

AさんとBさんは、一体どこが違うのでしょう？

もうおわかりだと思いますが、あえて言わせていただきます。

そう、「声」です。

たいしたことを言っていないのに、妙に説得力があるように錯覚してしまうのは、声がいいからです。

その人がどんな人なのか、その人が言っているのがどんなことなのか、その印象**を大きく左右するのは声**なんです。

「どうしてあの人ばっかりいつもうまくいくんだろう？」

そういう人は、声で得をしているのです。

話の内容がいいだけでは伝わらない

そのことをよく表している、ある法則があります。

あなたは『人は見た目が9割』（新潮社）という、衝撃的なタイトルの本をご存じですか？

メラビアンの法則

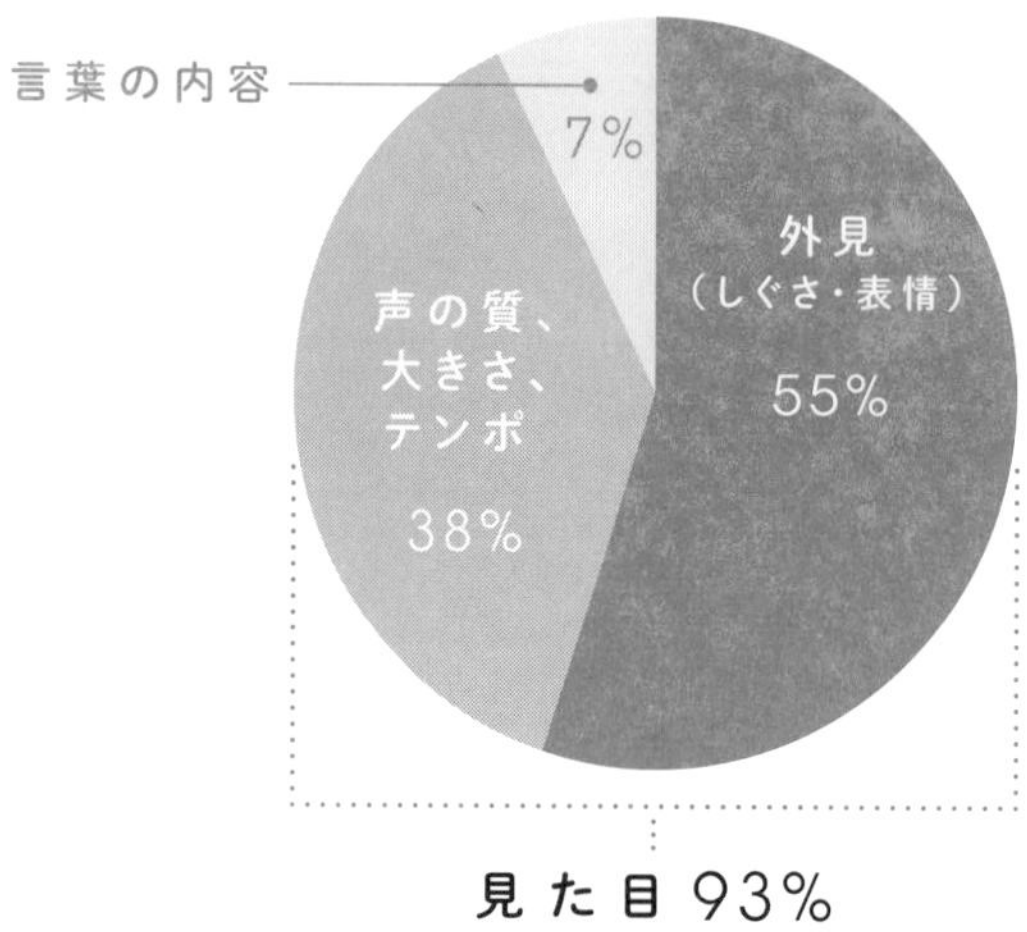

タイトルの「9割」という数字は、アメリカの心理学者であるアルバート・メラビアン博士の研究をまとめた「メラビアンの法則」によるものです。

この法則によると、話し手が聞き手に与える印象は、次の要素で決まるとされています。

実は、「見た目が9割」のうちの、約4割を「声」が占めています。

それほど声は人の印象を大きく左右するのです。

ちなみに、「言葉の内容」が聞き手に及ぼす印象はたったの7%しかありません。

それもそのはず。

最近の報告によると、私たちの話し言葉のうち、**「音声」は「言語」より先に脳の大脳辺縁系に到達する**ことがわかりました。

どういうことかというと、先に入力された声の印象が、後から入力される言語の受け止め方に影響を与えるということなのです。

大脳辺縁系は、食欲・性欲・睡眠欲などの「本能」を司ります。さらに、入ってきた情報に対して「好き・嫌い」「快・不快」といった感情のレッテルを貼ります。

たとえば、入ってきた音声に対して、大脳辺縁系が「わぁ、よく響くいい声だなぁ」という「好き／快」のレッテルを貼ると、聞き手の脳内では快楽物質ドーパミンなどのホルモンが分泌されます。

そのため、聞き手はうっとりした気持ちになり、「この人の言うことを聞いているとワクワクするな～。ということは、きっと面白い話をしているに違いない！」と認識します。

逆に、入ってきた音声に対して「うーん、聞きづらい。嫌な声だなぁ……」という「嫌い／不快」のレッテルを貼ると、聞き手の脳内では怒りのホルモンであるノルアドレナリンが分泌されます。

そのため、「聞いているとイライラする。ということは、つまらない話なんだろうな」と認識します。

つまり、**声によって聞き手に与える感情や、話の内容の受け止め方まで変えてしまう**のです。

「じゃあ、どんなに会議やプレゼンの資料をしっかり作成しても、声が悪いと内容はほとんど伝わらないってこと？」

はい、そうなんです……。

ショックですよね。

いい声のカギは「赤ちゃん」にあり

では、自然と話に耳を傾けてもらえて、なおかつ話の内容に興味をもってもらえる、「伝わる声」とはどんなものでしょう?

それが、「はじめに」でもお伝えした「感動ヴォイス」、つまり自分の「本当の声」です。


そもそも、「本当の声」って、なんなのでしょう?

それは、**あなたの体からもっとも自然に、もっともラクに出せる声**のこと。

そして、もっともよく響く声。出すと、とても気持ちいい声でもあります。

力まずとも豊かに出る声なので、声がモゴモゴとこもったり、うわずったり、ひっくり返ったりすることはありません。

声に無理がなく、とても聞き取りやすいので、聞き手もゆったりとしたいい気持ちになれます。

つまり、声を出す自分にとっても、聞く相手にとっても「いい声」なのです。

その**ポイントは「響き」**にあります。

その、もっとも響きのある「本当の声」は、赤ちゃんの状態に戻ることで出ます。発声に関して言えば、**「赤ちゃんの泣き声」が理想的**なのです。

私たちは生まれたとき、「オギャ――！」となんとも大きく響きわたる声とともに、母胎からこの世界へと飛び出します。

このときの赤ちゃんのありのままの声は、クリアでストレート。はっきりくっきり、人の耳に届きます。

電車の中だったら車両中に響きわたるほどです。

なぜこんなに響くのかというと、赤ちゃんには無駄な力みがないからです。

寝返りもできない生まれたての赤ちゃんは、人間の体にとってもっともリラックスできる、力が抜けたあおむけの姿勢になっています。

この姿勢は体に負担がかからないので、呼吸筋や喉の筋肉が最大限に働き、喉が十分に開いた状態です。だから、よく響く声が出せるのです。

また、あおむけで寝ている赤ちゃんの場合、横隔膜にも負担がかかりません。

横隔膜とは、肺の下にあるドーム状の筋肉で肺を動かす器官のこと。

この横隔膜は、人間が直立していると重力で他の器官に圧迫されます。そのため動かすのに少し力がいるのですが、横になっているとその重力が軽減されるため、より深い呼吸がラクにできます。**よく響く声には、豊かな呼吸が必要**なのです。

横になっている赤ちゃんは、無意識のうちに横隔膜を柔軟に使うことができるので、吐く息が力強くなり、大きい声が出るのです。（和田美代子著／米山文明監修『声のなんでも小事典』講談社）

赤ちゃんが泣く大声が、あたり一面に響きわたるのは、こんなふうにリラックスして体中から声を発散しているからなのです。

赤ちゃんのようになんの力みもない、ありのままの自分の声。

この声こそが、その人がもっている「本当の声」です。

これはつまり、**誰でもよく響くいい声をもっている**ということでもあります。

みんな生まれたときは、この自分本来の声からスタートしています。

あなたももちろん、ここからスタートしました。

声に「違和感」の響きが生まれる理由

ですが、成長するうちに、私たちの声にはさまざまな理由で抑制がかかります。騒いじゃダメ。変なことを言っちゃダメ。笑われないように。なるべく他の人と同じように……。

いうなれば社会性を身につけていくわけです。

今でこそ声の仕事をしている私ですが、昔の私はこうしたことが原因で、本当に小さな声しか出せませんでした。

おまけにその声はすごくこもっていて、よく人から「え？」と聞き返されたり、「何を言っているのか聞き取れない」と言われたりしていたのです。

今思うと、子どもだった私は、愛情ゆえに教育に厳しかった両親の顔色ばかりをうかがい、自分の意見や感情を抑圧していたように思います。

感情を内に抑え込んで、自分の存在を外界に向かって表現しない。つまりは、声を出さないという方法です。

自分の存在を抑圧していたため、声は小さく、モゴモゴとこもっていたのです。

こんなふうに**自分を守るために言いたいことを飲み込むと、口をあまり開けずにモゴモゴ話すようになって声がこもります。**

また、体が緊張してギュッと喉が締まります。締まった喉からは、苦しそうなか細い声しか出ません。

それでも無理やり大きな声を出そうとすれば、声はしゃがれてしまいます。声にひずみが出るのです。

こうして、**発声に抑制がかかり、声は響きを失います。**

生きていく中で、いつしか、あなたは本来の声を失っているのです。

私のセミナーを受けてくださる方も、やはり最初は自分本来の声が出ていません。

ある人は「声がこもっています」、またある人は「喉が詰まったようになります」「どうしても小さな声しか出ません」「なんだかかすれてカサカサした声になります」……。

生まれたままの声でなく、抑制された声になっているわけですね。

抑制された声を耳にすると、聞き手は「この人、ちょっと無理してるんじゃないかな」と、そこに「嘘偽り」の響きを感じとり、違和感を覚えるようになるわけです。

ですから、そんな声で「できます！」「やらせてください！」と言っても、聞き手からすると「大丈夫かな？」「ホントにできるのかな……」と不安になります。

つまり、信頼してもらえなくなるのです。

成長にともない、どなたの声にも多かれ少なかれ抑制がかかりますが、次のような声の方は、特に抑制がかかっています。

・声が小さく、よく聞き返される

・モゴモゴと声がこもる
・長時間話していると声がかれる
・滑舌が悪い、舌足らず
・早口

あなたはいかがでしょうか?

「感動ヴォイス」が信頼とファンをつくる

さてここで、先ほどの赤ちゃんの話に戻しましょう。

赤ちゃんは体に力みがないのはもちろん、精神的な力みもありません。

自分についていいも悪いも、何のジャッジもしませんし、無防備に存在します。

何かしらに恐怖を感じて、緊張することで筋肉を硬くして自分を守ろうという意識もないため、肌も筋肉もとっても柔らかい。

心にも体にも力みがないからこそ、自分本来のよく響く声が出せるのです。

こんなふうに、無理なく自然で豊かに出る声には、「嘘偽り」の響きがありません。

力むと体に余計な力が入って、声にひずみが出ますが、それがないからです。

声のひずみは、心か体が無理をしている証拠です。

ひずみのない、ありのままのあなたの声は、聞く人に違和感や警戒心を与えることなく届きます。

その声にあなたの感情を乗せれば、感情ごとすんなり届きます。

その感情が聞き手の心を揺さぶり、感動を呼び起こすのです。

そして、あなたを信頼させ、あなたのファンにさせます。

こんなふうにして、聞く人の心を突き動かし、感動を呼ぶ「本当の声」。

私はこの声を、「感動ヴォイス」と名づけました。

私のレッスンでは、みなさんにこの感動ヴォイスのメソッドを中心にお伝えしています。

感動ヴォイスの効果

面白いことに、感動ヴォイスを出せるようになると、普通に話をしているだけでも周りに人が集まってくるようになります。

響きがあって豊かでよく通る、耳に心地よい声が出るようになるので、大勢の中にいても自然と注目が集まるからです。

もしあなたが街中にいて、どこからか美しいバイオリンの音色が聞こえてきたら、「どこから聞こえてくるんだろう？　どんな人が演奏してるんだろう？」と、つい音の出所を探してしまいませんか？

それと同じです。

たとえば私の場合、異業種交流会などで普通に立ち話をしているだけでも、多くの方から、「お時間のあるときにもっとお話を聞かせてください！」と必ずお声がけいただけます。

あるいは、オンラインで自己紹介動画をアップすると、ほんの数分でセミナーの予約が入ります。

感動ヴォイスがもつ響きで、一瞬にして聞き手の耳目を集め、心を揺さぶることができるからです。

また、感動ヴォイスがもつ説得力で、聞き手を信頼させることができるからです。


SNSやブログなど、テキストだけの集客ではなかなかこうはいきません。

なぜならテキストは、「読もう」と意識して読まなければ、頭に情報が入ってこないからです。

でも、声の情報は「聞こう」と意識しなくても、勝手に耳に入ってきます。

ですから、瞬時に人々の耳目、そして心をとらえることができるのです。

これは声がもつ素晴らしい強みといえるでしょう。

それでは、あなたよりひと足先に感動ヴォイスを手に入れた方の人生が激変したケースを紹介します。

case 1

たった5分の会話でファンが生まれた！

コールセンターに勤務するYさん（40代女性）は、「小さいころから声が小さく、こもっていることが悩み」だといいます。

仕事中に電話で話すときは、相手が聞き取りやすいようにがんばって大きな声を出すせいで、いつも喉が痛かったそうです。

また、無理をして声を出すせいか、体に負担がかかっていたらしく、毎日とても疲れたということです。

そんなYさんが、私のセミナーに参加してくださいました。

セミナーではよく響く声が出るようにするために、感動ヴォイスの基本となる「呼吸」についてお伝えし、豊かな呼吸ができるようにします。

その後、話すときの呼吸が深くなったことで、Yさんは非常にラクに声が出せるようになったといいます。

さらに、発声に無理がなくなり、勤務中や帰宅後の体の疲労感も驚くほど少なくなったそうです。

セミナーを受講してすぐに、Yさんが勤めるコールセンターで年1回のモニタリング（通話を確認して点数をつけるテスト）がありました。

結果は、自分でも満足のいく素晴らしいものだったそうです。

モニタリングの採点担当者からは、「あなたのお客様は、最初は堅い感じで話をなさっていたのに、終盤ではとてもフレンドリーになられていましたね。あなたはたった5分の会話でお客様の心を開いたんですよ。きっとこのお客様は、わが社のファンになってくださったに違いありません」と、最上級の褒め言葉をいただいたそうです。

「人生で一番褒められたかもしれません」とYさん。

最近では、怒って電話をかけてきたお客様が、彼女の声を聞くうちにどんどん落ち着いてくることもよくあるといいます。

おそらく、無理のない発声ができるようになったことで、Yさんの持ち前の優しさが声ににじみ出るようになったのでしょう。

Yさんの場合、プライベートでもいいことがありました。

これまでは声が小さいせいで、カフェやレストランではいつも店員さんにメニューを聞き返されていました。

自分の言いたいことがすんなり伝わらないストレスで、注文の際はメニューを指さすなどして、言葉で伝えることをためらっていました。

普段からそうだったので、そういう場でコミュニケーションをとるのがとても苦痛だったそうです。

しかし受講後は、大きな声を出さなくても、響きのある通る声が出るようになり、混んでいる店内でもオーダーがすんなり通って、自然と人とのコミュニケーションが楽しくなったといいます。

「声が出るようになっただけで、こんなに自分が変わるなんて！ うれしいし、驚いています」とYさんは明るくイキイキした表情で語ってくれました。

case 2

プレゼンでその場の空気がつかめるようになった！

「プレゼンを早く終わらせたい」

技術営業をしているエンジニアのKさん（40代男性）は、いつもそう思っていました。

もともと自分の声が嫌いで、自社製品のプレゼンをする機会が多かったものの、人前で話すことが苦手でした。

そのうえ、自分の話がたいした内容ではないと感じることが多く、話しているうちに自信がなくなってきて、「早く終わればいいのに」といつもネガティブになりがちだったそうです。

そんな彼が、私のセミナーを受講。

そこで習った発声法や日々のワークを継続することで、自然と声が出るようになっていきました。

そうなってみてはじめて、「これまでの自分は思った以上に声が出ていなかった」と気づいたそうです。

次第に声が出るようになると、話すことにも抵抗がなくなってきて、セミナーの際に人前で声を出すことへの苦手意識も薄くなっていったといいます。

さらに、声が出るようになると、聞き手が自然と耳を傾けてくれるようになってきたことから、自分の話す内容に関してもだんだん自信がもてるようになってきたそうです。

後日、Ｋさんは仕事で50人もの顧客の前で製品のプレゼンをしました。

セミナーで学んだことを活かして、感動ヴォイスで挑戦したところ、顧客から「製品を使いたくなった」「熱い想いを感じた」といった、うれしい感想をもらえたそうです。

さらに上司からは、「ユーザーが使いたくなるようなプレゼンだった」「他でもプレゼンしてほしい」と言われ、予想以上の結果が出たことに、自分自身とてもビックリしたそうです。

私のセミナーでは、いつも「声で場の空気をつかみましょう」とお伝えしていますが、以来、Ｋさんは打ち合わせなど普段の仕事でも、「場をつかめている／つかめていない」という視点から、自分の話し方を観察するようになったとか。

そうすることで、「人を惹きつける力がグッと増した」と感じているそうです。

今では話すことへのストレスがなくなり、嫌いだったプレゼンを楽しめるようになりました。

case 3

長時間話しても声がかれなくなった！

Hさん（50代女性）は、人前に立って話す講師業をしています。

感じがよくて、しっかり者で人柄もよし。物事に一生懸命に取り組む講師の見本のような素晴らしい方です。

ですが、Hさんにはひとつ、大きな悩みがありました。

それは、「声がかすれて出なくなる」ということ。

仕事が好き。けれども、講師業の命ともいえる声が長時間もたない。話しているうちにどんどん声がかすれてくる。

そうなると、聞き手まで苦しそうです。話を聞いてくれる方のそんな様子を見ていると、Hさんはますますつらくなります。

しかたなく、長時間の講義は辞退するようになりました。

また、周りの講師の方が気を遣って、Hさんの声がかれてきたら、途中から代わってくれるようになりました。

そんな自分が不甲斐ない。でも、この先続けていけるのか……。

そんなふうにHさんは悩んでいらっしゃいました。

そんなHさんは、「声を変えよう！」と一念発起してセミナーに参加されました。

当初、明るく振る舞っていらっしゃったHさんですが、「本当に声がかれずに出るようになるんだろうか」と、心の奥底には不安があったそうです。

それはそうですね、長年悩んできた声の問題です。

すぐに解決するんだったら今までこんなに苦労はしていない、と思いますよね。

レッスンをする中で、Hさんの声はかれずにどんどん長い時間続くようになっていきました。

呼吸も豊かになり、喉が開き、声の質もクリアになりました。

私は、そんなHさんの変化の様子を動画に撮りました。

人間って、他の人の声や話し方の変化にはすぐに気づけるけれど、自分自身の変化にはなかなか気づきにくいものです。

また、Hさんは責任感が強く、自分に厳しい方でした。自分に厳しい方は、自分がいい方向に変化していたとしても、「いや、まだまだだ」という思考が先走ってしまい、「ポジティブな変化」を実感しにくい傾向があります。

ですので、主観的な感じ方ではなく、動画に撮った自分を視聴することで、自分を客観的に見ることが大切です。

「あ、確かに変わってきていますね！」

動画を視聴したHさんは自分の変化を認識するようになり、変化していく自分の声、話し方を視聴するたびに、「できる」という自信が生まれてきたそうです。

自信がない人は、本能的にとにかく「自分を守る」ことに一生懸命になってしまいます。

「こんなダメな自分を外にさらけ出すと、悪い評価を受けて自分が傷つく」

そういった無意識の思いが筋肉を硬くし、鎧に変え、声を出すための声帯までも締めつけて声を封じ込めます。

硬い声帯から無理に押し出す声は、当然、かれます。

「できる」という自信が、Hさんの筋肉を鎧からふわっとした心地よい衣に変えていきました。

声がスムーズに出るようになったHさんは、声で悩んでいたときには辞退していた講演依頼も、自信をもって受けられるようになり、以前よりも精力的に仕事に励むことができるようになったそうです。

いかがですか？

声を変える。

たったそれだけで、感動ヴォイスを手に入れた方々には劇的な変化が起こりました。

また、声を変えただけで聞く人の信頼をしっかりと得られるようにもなりました。

それだけではありません。

性格も大きく変わり、人生そのものがパッと明るく開けたこともおわかりいただけたと思います。

このように、**感動ヴォイスは聞く人に大きな影響を与えるだけでなく、声を出すあなた自身にも大きな影響を及ぼす**のです。

では、感動ヴォイスを手に入れたあなたには、この先、どんなうれしい変化が訪れるでしょうか。

次の章で詳しく見ていきましょう。

第2章

声を変えるだけで、心も体も変わる！

「感動ヴォイス」で心も体も心地よくリセットできる

あなたの本当の声である「感動ヴォイス」を手に入れると、聞き手の反応が変わるのはもちろん、声を出すあなた自身にも大きな変化が訪れます。

まるで、声でスイッチが入ったかのように、あなたのあらゆることが変わっていくのです。


具体的な感動ヴォイスのメソッドについては、次の章からお伝えしますが、メソッドを実践していただく前に、あなたに起こる変化がどんなものなのか、ここできちんとお知らせしておきましょう。

なぜなら、声そのものはメソッドを行っていただくとその場ですぐに変わりますが、これからお伝えするさまざまな変化は、感動ヴォイスを習慣化してはじめて得られるものだからです。

ですから、まずは「なるほど、声を変えると自分にはこんなすごい変化が起こるんだ！」と頭の中でイメージしていただくことがとても大切です。
あなたに起こる変化をイメージできればこっちのもの。無理して「継続しよう」と思わなくても、自然と日ごろから発声を意識するようになれます。

では、私のレッスンを受けてくださった方々に起きた変化を紹介しましょう。

1. 声がよくない→人の耳目を集める、いい声が出せるようになる
2. 常に全身がこわばっている→全身のこわばりがとれて、疲れにくくなる
3. 長時間話していると声がかれる→長時間話しても、声がれしなくなる
4. 精神的なストレスが溜まっている→精神的なストレスが溜まらなくなる
5. 周囲に流されやすい→自分軸を取り戻せる
6. 自己表現が苦手→自然と自己表現できるようになる
7. 自己肯定感が低い→自己肯定感が上がる
8. コミュニケーションが苦手→人前で話すのが楽しくなり、仕事も人間関係

もうまくいく

声を変えるだけで、あなたにもこれだけの変化が起こります。

しかも、心にも体にも無理をさせることなく、変化はごく自然に起こるのです。

なぜこのような変化が起こるのか、段階を追って見てみましょう。

① 人の耳目を集める、いい声が出せるようになる

第1章でもお伝えしたように、感動ヴォイスを出せるようになると、人混みの中でも、あなたの声に自然と人々の耳目が集まるようになります。

なぜなら、感動ヴォイスの豊かな響きが、人々の耳に訴えかけるだけでなく、体にも直接訴えかけるからです。


ここでちょっと、「声（音）」とは何かについて説明しましょう。

普段、私たちが聞いている音は、空気中を伝わってきた音の発生源の振動が、耳でキャッチされたもの。つまり、**音とは振動、空気のバイブレーション**というわけ

です。
たとえば、赤ちゃんの大きな泣き声。離れた場所にいても、とてもよく響いて聞こえてきますよね。

これは、赤ちゃんが発した音（声）のバイブレーションが空気を揺らし、その揺れ自体が私たちのところまで空気を伝わってくるということです。ですから、音が聞こえるということは、実際はバイブレーションを感じているということなのです。

ちなみに、音のバイブレーションを私たちが感じるためには、音源と耳までの間をつないでくれる物質が必要になります。これを「媒質《ばいしつ》」といいます。

媒質にはさまざまなものがありますが、空気などの気体の他に、水などの液体、金属などの固体も媒質です。（鈴木松美著『あの人の声はなぜ魅力的なのか』技術評論社）

実は、私たちの体のほとんどは音の影響を受けやすい、この媒質でできています。

人間の体の50～75％は液体で、骨は固体ですよね。

そのため、音の振動は耳を塞いでも、体の水分や骨を伝って響くのです。

要するに、**声を出すということは、聞き手の聴覚だけでなく、体まで実際に**

ブルブルと揺さぶっているということ。

いうなれば、声で「トントントン」と聞き手の体を叩いているようなものかもしれません。

しかも、**響きのいい音の振動ほど、媒質を伝わって遠くへと届きます。**

前章でもお伝えしたように、いい声（本当の声）――感動ヴォイスのポイントは、豊かな呼吸から生み出される「響き」です。

ですから、感動ヴォイスが出るようになると、あなたはどんな場所でも注目を集められるようになるのです。

最初に発するひと言で、プレゼンやスピーチで注目を集めるなんてお手のもの。一瞬でその場の空気を変え、つかみとることができるようになります。

これまでのように、「声に存在感がないから」という理由で、あなたの意見や存在をスルーされることはもうなくなるのです。

② 全身のこわばりがとれて、疲れにくくなる

声が揺さぶるのは、聞き手の聴覚や体だけではありません。

なんと、声を出すあなた自身をも揺さぶります！

声のバイブレーションは、あなたの内臓の奥深くまで微細に振動させ、マッサージ効果で全身を活性化してくれるのです。

実は、小さな声しか出ない人や、長時間話していると喉が痛くなったり、声がかれたりする方は、顔や体の筋肉がこわばっていることが圧倒的に多いのです。

「実は私も全身がバキバキで……」

あなたもしょっちゅう、こんなことを感じているのではないでしょうか。

私のレッスンでは、まずこわばった体をエクササイズでゆるめて、声を出すための筋肉をラクに使えるようにします。さらに、豊かな呼吸ができるような姿勢をつくってから、声を出していきます。

面白いことに、30分もすると受講者の方の目が潤んできます。

そして、そのころから「ふぁ～」とあくびが出る方が多くなります。

エクササイズで体をほぐしたこと、そして、響きのある声が起こすバイブレーションのマッサージ効果で、心身ともにリラックスして自律神経が整っていくからです。

レッスン終了時には、みなさん顔のこわばりがとれて、なんとも柔らかな福々しい顔になります。

豊かな呼吸ができるようにもなるので、たっぷりと酸素を取り入れた体は元気になります。肩こりや首こりが解消したり、そこからくる頭痛が改善したり、中には「鼻炎が緩和されました」という方もいらっしゃるほどです。

このように、感動ヴォイスが出るように体の状態を整えること、さらに声のマッサージ効果で自らを活性化することで、**あなたは日ごろから雑談をしているだけで、体のこわばりがほぐれてリラックスでき、自然と元気が湧いてくる状態になります。**

③ 長時間話しても、声がれしなくなる

感動ヴォイスが出るようになり、リラックスしたあなたの体からは、これまでよりずっとラクに声が出るようになります。

そもそも声が出なかったり、声に伸びがなかったりする人は、ストレスからくる緊張で心や体が硬くなっていることが多く、そのせいで声帯の筋肉も硬くなっています。硬く締まった声帯では空気の通り道が細くなり、か細い声しか出ません。

この状態で無理をして大きな声を出したり、長時間話したりすると、すぐに喉が痛くなったり、声がれしたりします。

ちなみに、声に伸びがない、長時間話していると喉が痛くなる、声がかれるなどの症状は、講師業、司会者、アナウンサー、ナレーター、役者、歌手、ヴォイストレーナーなど、声を使う仕事の方によく見られる状態です。

実は、私のセミナーには、こうした声のプロの方々もこっそり参加してくださいます。

みなさん、それぞれヴォイストレーニングに通われた経験はおありなのですが、基本的な声の出し方を習わずに、大きな声を出すトレーニングを行ってきたせいで、声帯を痛めやすい発声をしている方が少なくありません。

また、声を使うプロは、時間制限やディレクターなど指示出しをする人の意向に従わなければいけないといった、さまざまな制約の中で仕事をしています。

そのため、無意識に「他人の評価を得なければいけない」「がんばらなくてはいけない」と、自分に強くプレッシャーをかけて話し続けている場合があります。

でも、そうなると上半身に力みが入り、喉を強く締めつけた状態で声を出すことになります。その結果、喉を痛めて声をからしてしまうのです。

このように、**声というのは、がんばればがんばるほど出なくなる**ものなのです。

そもそも、**「大きな声」と「響く声」は別物**です。

小さな声でも、豊かな呼吸が生み出す「響き」があれば、声は空気を振動させ、届かせたい人のところまでしっかり届きます。**声を届けたいのなら、大きな声を出そうとするのではなく、響かせればいいのです。**

感動ヴォイスを身につけると、よく響く声がラクに出るようになりますし、そもそも体の緊張がほぐれているので、声帯が硬くなるということもありません。

ですから、長時間話しても喉が痛くなったり、声がかれたりすることがなくなります。

「がんばらなくても、声ってこんなにラクに出るものなんですね～！」

そんなことも多くの方に実感していただいています。

④ 精神的なストレスが溜まらなくなる

いつも感動ヴォイスが出る状態でいるためには、こわばりのないリラックスした筋肉と、豊かな呼吸ができる姿勢を習慣化する必要があります。

実はこれ、体に負担がかかりづらく、全身が疲れづらい体勢でもあるのです。

こういう体の使い方ができるようになると、心にも疲れが溜まりにくくなります。

なぜなら、**心と体はつながっている**からです。

これは、私が大学院で学んだ身体心理学に基づく**「心身相関」**という考え方です。

身体心理学は、「体の動きが心の動きをつくっている」という視点に立った心理学のひとつです。

たとえば、悲しい気分でいるときにニコッと口角を上げると、ちょっとだけ楽しい気分になる。あなたにもそんな経験はありませんか？

あるいは、落ち込んで丸まっている背筋をスッと伸ばして、バンザイをするように両手をピーンと上に伸ばしてみる。すると、なんだか気持ちがシャキッとするとか。

こんなふうに、体の動きは心に大きな影響を与えます。

ですから、**感動ヴォイスを出すために、日ごろからリラックスして疲れの溜まらない体勢でいると、心のストレスも溜まらなくなる**のです。


このことを実際に証明した研究があります。

私はテレビレポーターやアナウンサーなど、声の仕事をするようになってから、ますます声の魅力にはまり、40歳を過ぎてから大学院に入って、声にまつわる研究をしました。

15名から22名の学生に、感動ヴォイスを出すためのトレーニングを90分間してもらい、5回にわたってその後の気分について調査したものです。

すると、活性・安定・快適・覚醒・爽快感といったポジティブ要素がすべて向上。

一方で、緊張・抑うつ・不安・疲労といったネガティブ要素はすべて低下していました。

感動ヴォイスが出せるようになると、メンタルのポジティブ要素が上がり、ネガティブ要素が下がる

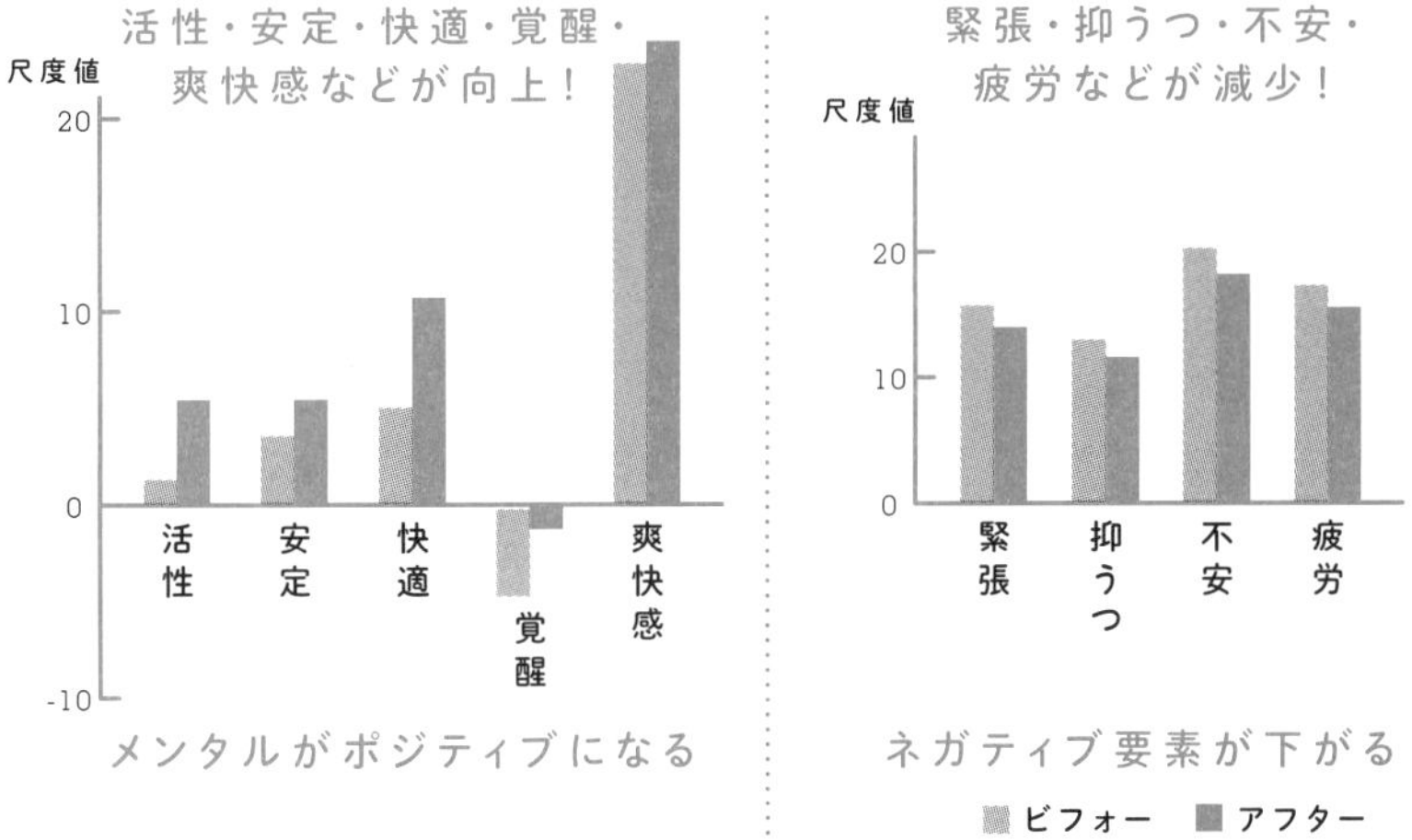

爽快感などが向上！

メンタルがポジティブになる

疲労などが減少！

つまり、**感動ヴォイスが出せるようになると、メンタル的なポジティブ要素が上がり、ネガティブ要素が下がる**ことがわかったのです。

「声を変えると、心が変わる」

これが、声にまつわる世界初の研究テーマとして私が出したエビデンス（実証）です。

この研究は、ヨーロッパと日本の健康心理学会でも発表させていただきました。

私がお伝えする感動ヴォイスのメソッドは、こうした学術的なエビデンスに基づいているのです。

⑤ 自分軸を取り戻せる

感動ヴォイスが出せるようになると、あなたの内面にはさらなる変化が起こります。もしあなたが、これまで他人に合わせてばかりいて、「私は本当の自分を失っているかもしれない」と感じているのなら、その本当の自分を取り戻せるのです。

私はこれまでたくさんの方の声にまつわる悩みを聞いてきました。

声が小さい、かすれる、モゴモゴとこもる、声がれするといった方々の中には、「自分のことがわからない」という方がかなりいらっしゃいます。

空気を読んで他人に合わせているうちに、自分が言っていることや感じていることが本心なのかどうか、自分でもわからなくなってしまった、という意味です。

こうした**声の悩みをもつ方は、内向的で、自分の考えや感情を表現するのが苦手で、周囲の目や評価が気になりすぎる傾向があります。**また、「拒否されたくない、嫌われたくない」という気持ちから、周囲の人の意見に自分を合わせがちです。

周りに合わせて常に他人軸で生きているため、いつのまにか自分の本心がわからなくなってしまうんですね。

以前の私もそうでした。

周りの人の意見に自分を合わせるために、常に意識を相手に向けるべく気を張っていて、心も体もいつも緊張状態。

緊張は、自分を守るための本能です。

その本能が身をこわばらせることで、「硬い筋肉」という鎧を体にまとわせます。すると、心身相関によって心も鎧をまとうようになります。

こうなると心が覆われて、自分の本心がわからなくなってしまうのです。

そしてこのときには、声が小さい、モゴモゴとこもる、かすれるといったことが常態化しています。

同じように日ごろから声に課題を感じている方がレッスンをして、声がラクに出るようになると、ときどきポロポロと涙を流して、こんなふうにおっしゃることがあります。

「ああ、私、苦しかったんですね……。なんだかラクになりました」

声がラクに出る体の使い方をすることで、体の緊張がすっかり解け、心の鎧まで脱げてホッとしたのでしょう。

こんなふうに、何かしら「つらくて苦しい」ことに、意外と多くの方が無自覚です。あなたはいかがでしょうか？

感動ヴォイスを習慣化すると、そのことに気づき、心と体の鎧を脱ぐことができます。その結果、あなたは自分の本心に気づけるようになり、自分軸を取り戻すことができます。

やがては自分の進むべき方向、本当にやりたいことも自然と見えてくるはずです。

⑥ 自然と自己表現できるようになる

もうおわかりいただけたかと思いますが、感動ヴォイスを出すということは、ありのままの自分を声に乗せて発信するということです。

自分が自分であることを認め、愛し、卑下しないということ。

さらに、嘘偽りのない自分になり、攻撃的にならずに他者とコミュニケーションをとって、本当の自分を外界に向けて発信するということでもあります。

「ありのままの自分をさらけ出す……それって、ものすごくハードルが高くないですか？」

思わず腰が引けて、ドキドキしてしまうあなたの気持ちもわかりますが、大丈夫。感動ヴォイスが出る体の使い方ができているということは、体がリラックスしているということ。

これは身体心理学でいえば、精神的な抑制も外れているということです。つまり、心が解放されている状態です。

こうなると、**周りに気を遣って空気を読むよりも、「自分はどうしたいか」に意識がフォーカスされる**ようになります。そして、湧き上がってきた自分の想いをすんなり受け入れ、素直に口に出すこともできるようになります。

こんなふうに、自分が自分であることを無理なくポジティブに受け入れている人の声は、深くて豊かで温かく、聞く人にとても心地よく響きます。また、声に不自然な力みがないので、「嘘偽り」の響きもなく、聞くと安心感を覚えます。

このような声には発信者の「在り方」が乗っているので、聞き手は心の深いところが揺さぶられます。

あなた本来の声が出せるということは、実はこういうことなのです。

今までセミナーや企業研修でたくさんの方にお会いしてきましたが、本当に多くの方が、自分ではない他の誰かになろうとして必死になられています。

「ありのままの自分ではダメだ」という認識があるのでしょう。

そのため、私のレッスンを受ける前は、本来の自分とは違う「理想の声」を出そうとする方も多いのです。

でも、**自分は自分。**他の誰かにはなり得ないし、そもそもなる必要がありません。

あなたがあなた自身を受け入れて、その個性を外界に表現できるようになれば、声は真実の響きをもって相手に届きます。

それが自然とできるようになるのが、感動ヴォイスを出すということです。

⑦ 自己肯定感が上がる

面白いことに、感動ヴォイスを出せるようになると、自己肯定感も上がります。

なぜなら、自分の中でも声が響くのが感じられるため、「私って、けっこういい声をしてるな」「こんな声の自分って、なかなかいいかも」と自然に思えるようになるからです。


ちなみに、**日本人は総じて自己肯定感が低い**ことが明らかになっています。

内閣府が２０１８年に、13歳から29歳までを対象に行った「自己肯定感」についての国際比較調査によると、「自分自身に満足している」と答えている割合はもっとも低く45・１％。

一方、韓国、アメリカ、イギリス、ドイツ、フランス、スウェーデンなどはすべて70％を超えています。

なぜこんなにも日本人は自己肯定感が低い人が多いのでしょうか。

私はこの**原因のひとつに、声や話し方が関係している**と思っています。

話は変わりますが、私のセミナーを受講してくださる方によくする質問があります。

「自分の声が好きですか？」という質問です。

どこで聞いても、だいたい同じ結果になります。

「好き」…5％
「まあまあ好き」…15％
「嫌い」…80％

驚くことに、80％の方が自分の声を嫌っているのです。

「自分の声が嫌い」とおっしゃる方の中には、録音した声を聞いて、「私ってこんな声してるの？　もう嫌だ～」と顔をしかめる方がたくさんいます。

録音した自分の声に違和感を覚えるのは、普段は自分の声を、骨を伝わって響いてくる骨伝導で聞いているからです。

骨伝導で聞く音は、空気中を伝わる音より低く聞こえます。ですから、空気中を伝わる声を録音したものを聞くと、「自分の声って、思っていた声となんだか違う！」

ということになります。

聞き慣れていないのでびっくりして、「自分の声が嫌い」となるのです。


でも、考えてみてください。

私たちは「オギャ――！」と産声を発した瞬間からこの世を去るまで、基本的にはずっと声を出して話をし続けます。声とともに一生を歩むのです。

なのに、生涯ともにある自分の声が嫌いで、自信がなかったらどうでしょうか。

自信をもって自分の意見や想いを伝えられるでしょうか。

人前で堂々とプレゼンやスピーチができるでしょうか。

自分の出す声に自信がないと、どうしても声を発すること、話すことに消極的になってしまうものです。**声を発して自分の考えや想いを伝えることを躊躇し、気持ちを抑圧するということは、自己肯定感を下げる行為**になります。


しかし、感動ヴォイスを身につければ、あっという間にあなたの個性が活かされた声、自分でも「いいな」と思える声が出るようになります。

事実、レッスン後は、「これが私の本当の声なんですか？……なんだか自分の声が好きになれそうです！」とおっしゃる方ばかりです。

自分の声を自然と好きになれる。そこから自己肯定感が上がります。

⑧ 人前で話すのが楽しくなり、仕事も人間関係もうまくいく

自分の声が好きになると、話すこと、人とコミュニケーションをとることが楽しくなり、人前で話すことへの苦手意識も薄れてきます。

また、声に素直に感情を乗せることができるようになるため、自然と抑揚がついて、あなたから語られる話がとてもドラマチックになります。

こうなると、表現力が増しているので、プレゼンやスピーチ、営業や接客、ちょっとした雑談でも、相手の心を揺さぶることができます。

聞き手からすると「なんて面白いんだろう！　もっとこの人の話を聞きたい！」となるんですね。

こうしたことから、仕事や人間関係で信頼を築くことがどんどん容易になっていきます。

心も体もがんばらなくていい

さて、ここまで見ていただいて、声のスイッチひとつで発声はもちろん、心身の状態や内面までもが変わっていくことがおわかりいただけたかと思います。

少し話は変わりますが、私は専門健康心理士でもあるので、ストレス・マネジメントの企業研修をさせていただくことがよくあります。

そこで参加者の方から聞かれるのが、「ストレス解消のためには睡眠時間が大事なのも、運動が大事なのもわかってますが、忙しすぎて寝る時間も運動する時間もありません。一体、どうすればいいんでしょうか？」という質問です。

ちなみにこういう場合、企業研修では認知療法をお伝えするカリキュラムが組まれていることが多いものです。

認知療法とは、物事の受け止め方をポジティブに変えていく方法のこと。

よく知られているのがコップの水に対する意味づけです。コップ半分の水に対して

「もうこれだけしかない」とネガティブに捉えるのか、「まだこんなにある」とポジティブに捉えるのかで、その後に続く感情が変わってくるというものですね。

このようにポジティブな見方（思考）を身につけて、自分をポジティブに保つ方法はとても大切なことです。

ただ、この方法を身につけてストレスへ対処していけるくらいになるには、それなりの時間がかかります。

捉え方は習慣性のものなので、ポジティブな思考を習慣化するためには、それまでの捉え方や思考を日々コツコツと紙に書き出して認識するなどの練習が必要です。

ですが私は、「体から心の状態を変える」という身体心理学を学んだおかげで、時間をかけずともポジティブに転換できるようになりました。

どういうことかというと、**体は「今、この場で」変えることができます。**

自分本来の声がしっかり出る状態を日ごろからつくっておけば、ここまで見てきたようにストレス・マネジメントができるようになるだけでなく、内面の変化もごく自然に起こります。

「ポジティブになろう」と無理をして、自分に不必要なプレッシャーをかける必要はありません。また、休める時間を犠牲にして、長期にわたる練習をする必要もありません。がんばらなくていいのです。

声を変えれば、心にも体にも無理をさせることなく、こうしたうれしい変化が手に入ります。

楽器の弾き方を覚えるように声の出し方を覚えよう

感動ヴォイスを手に入れると、自分に無理をさせることなく、あなた本来の声を取り戻すことができます。

これはいうなれば、あなたという楽器の弾き方を、あなた自身が覚えるということです。

バイオリンにはバイオリンの、ヴィオラにはヴィオラの、チェロにはチェロの響きがあるように、あなたにはあなただけの素晴らしい響きをもつ声があります。

その出し方を知らずに声を出すということは、弾き方を知らない楽器をむやみやたらと掻き鳴らすのと同じです。

楽器は弾き方を知らなければそもそも音が出ませんし、出たとしてもその音はキーキーとした耳障りなものになります。

あなたは今まで、そんな状態で演奏会の舞台に立ち、聴衆に向かって「聞いて！」と楽器を掻き鳴らしていたのです。

……考えるだけでもゾッとしますよね。

聞き手にスルーされるのも納得ではないでしょうか。

でも、もう大丈夫。

感動ヴォイスを手に入れ、**あなたという楽器の弾き方を覚えれば、あなたの体から出る声のうち、もっともよく響く声であり、聞き手をうっとりと魅了する「あなただけの声」が出せる**のです。

さぁ、次の章からは、いよいよ感動ヴォイスの基本をお伝えしていきます。

さっそくページをめくって、一緒にチャレンジしていきましょう！

第3章

「感動ヴォイス」を手に入れる

基本の発声

「感動ヴォイス」の基本はバイブレーション

「こんなによく通る声が出るようになるなんて……自分でもびっくりです！」

感動ヴォイスのレッスンを受けてくださった方からは、こんな感想をいただきます。

よく通るいい声のポイントは「響き」。

この響きが出せるようになると、たった1分でその場の空気をつかみ、聞き手の心を揺さぶることができるようになります。

欧米では政治家やエグゼクティブには、専門のヴォイストレーナーがついているほど「声」は重要視されています。なぜなら「声が武器になる」ことを知っているからです。

前述しましたが、声は空気の振動、バイブレーションです。

声が響くというのは、発声者の豊かな呼吸によって、空気が揺さぶられているということです。つまり、**よく響く声とは、呼吸によって空気をよく震わせるための強いエネルギーがあるということ。**

このエネルギーに圧されて、人は心を揺さぶられます。

逆に、**弱々しい声から生み出される声のバイブレーションは小さく、聞く人はエネルギーを感じません。**そのせいで聞く人の胸に迫ってこず、感動が起きないのです。

ですから、聞く人の心を揺さぶるいい声になるためには、まずは大きなバイブレーションを起こせる声になることが大前提です。

私は、**声は自己発電できるエンジン**だと思っています。

感動ヴォイスが習慣化できれば、話をするたびに豊かな呼吸を行い、使うべき筋肉を使い、必要のない部分はリラックスさせて大きなバイブレーションを起こすことができる。まさにエンジンそのもの。

そのために、私のレッスンでは、まずは大きなバイブレーションが起きる「響く声」を出せるようになっていただきます。

全身に響かせるからバイブレーションが起こる

では、どうしたら声で大きなバイブレーションを起こせるようになるのでしょうか？

端的に言うと、あなたの体の使い方を「赤ちゃんの状態」に戻せばいいのです。

赤ちゃんのように心も体もリラックスすることで、おのずと響く声が出るようになります。

そうすることで発した声が、声帯付近だけでなく全身に響くようになるのです。

たとえば、弦楽器を思い浮かべてみてください。

弦の振動を楽器全体に響かせることで、遠くまで届く、深く美しい音色を出すことができますよね。ですが、ミュート（消音器）を使って弦の振動が楽器全体に伝わらないようにすると、音が出にくくなり、小さくなって遠くまで届かなくなります。

これと同じで、声のバイブレーションを起こすためには、全身を使って声を響かせる必要があるのです。

そもそも、声は声帯だけで出すわけではありません。全身で出しています。

ごく簡単に説明すると、私たちは次の4段階で声を発しています。

1. 「腹筋」で「横隔膜」を動かすことで、「肺」を圧して息を吐く
↓
2. 吐く息で「声帯」を振動させる
↓
3. 声帯の振動が、「喉・口・鼻の空間」に響いて声になる
↓
4. 声に「舌・唇・歯」などで変化を加えて言葉にする

「発声」というと、声帯や喉ばかりを気にする方が多いのですが、実は「　」内の器官はすべて使っています。

「はじめに」で、「声にはその日の体調も、精神状態も、すべて反映される」とお伝えしたのは、声がこれらの器官の状態を反映するからなのです。

さらに、発声に関係しているのは、ここに挙げた部位だけではありません。

たとえば、**目の周りの表情筋も、発声の元になる呼吸と密接につながっています。**

ちょっと実験してみましょう。あなたもやってみてください。

まず、吸って吐く、通常通りの呼吸をしながら、目をだんだん大きく見開いていきます。そして、ゆっくりと元に戻してください。

目を見開いたとき、戻したとき、それぞれ呼吸はどうなっていますか。吸っていますか？　吐いていますか？

目を見開いたときは「吸う」、戻していくときは「吐く」になったはずです。その逆は難しくてなかなかできません。

これは、表情筋と肺の下にある横隔膜がつながっているからです。つまりは、**表情を変えるだけで呼吸の深さも変わり、出る声がまったく違ってくる**ということです。

これらの器官をすべて柔軟に使えるようになることで、よく響く声、感動ヴォイスが出るようになります。

そのためには、赤ちゃんのように全身の筋肉をほどよくリラックスさせ、バイブレーションの源となる豊かな呼吸ができるように、姿勢を整える必要があります。

感動ヴォイスの基本ステップとなる「ヴォイササイズ」（声のエクササイズ）は、次の3段階です。

STEP1　筋肉をゆるませる
STEP2　姿勢を整える
STEP3　呼吸を整えて声を出す

これらができるようになると、感動ヴォイスがラクに出るようになります。

それぞれのエクササイズには動画を用意していますので、参考にしながらトレーニングしてみてください。では、さっそくやってみましょう。

STEP 1

筋肉をゆるませる

首、喉元がガチガチに硬いと声は出ません。響く声を出すために、まずはデスクワークや日々のストレスで硬くなっている全身の筋肉をほぐし、リラックスさせます。

首ぐるりんエクササイズ

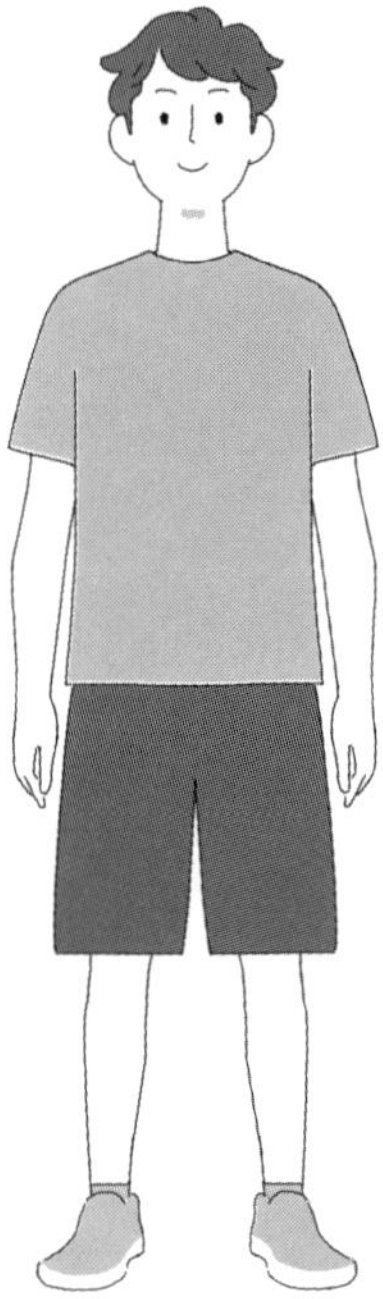

1

足を肩幅に広げて立つ。

POINT!

何事にも全力投球のがんばり屋さんは、「首を回しましょう」と伝えると、「はい、わかりました！」と、思い切り筋肉を力ませて首を回してしまいます。ゆるめるために首を回すのに、これでは本末

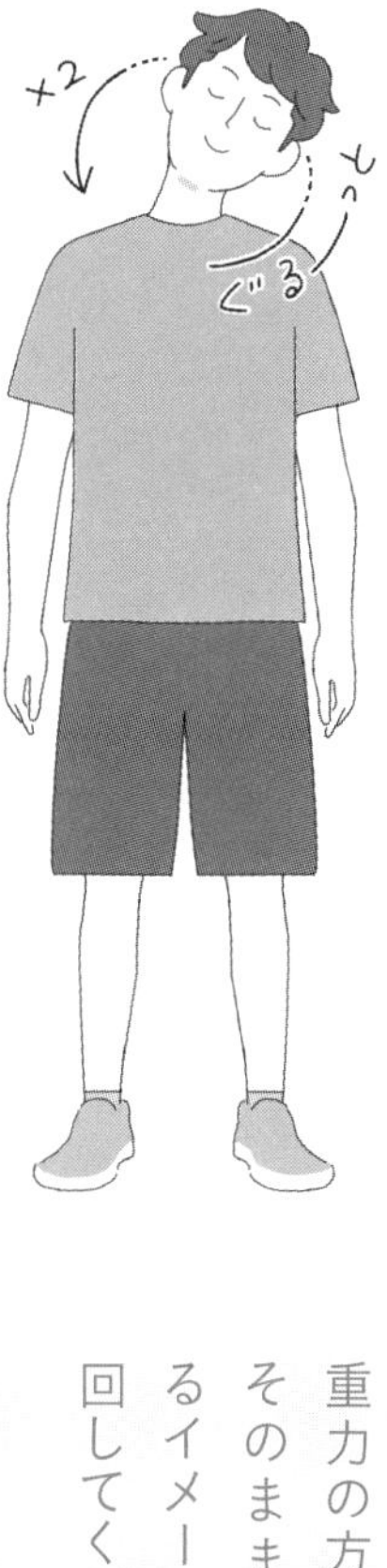

2

ゆったりと首を左回し2回。反対に、右回し2回。

転倒。逆に喉が締まってしまって声が出なくなってしまいます。リラックス、リラックス。

頭の重みで自然に首が重力の方向に下がり、そのままぐるりと回るイメージでゆっくり回してくださいね。

ため息エクササイズ

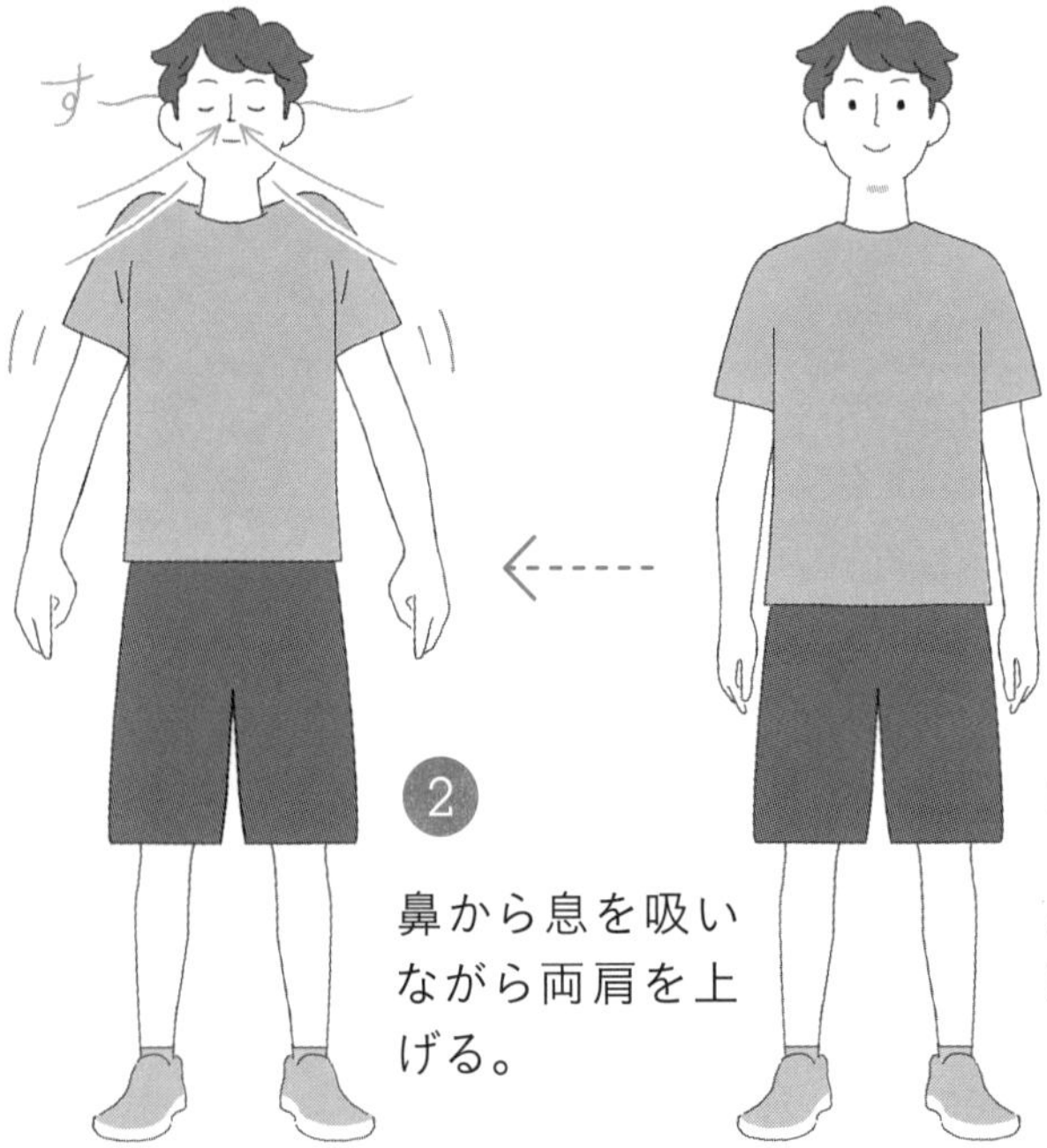

1 足を肩幅に広げて立つ。

2 鼻から息を吸いながら両肩を上げる。

POINT!


3のポイントはふたつ。

ひとつめは、ため息をつくときには、「はあ〜っ」と大きな声を出してください。この気持ちよく力が抜けた「はあ〜っ」という声が、お腹の奥底から出る自分だけの魅力ある声を作り上げていく土台になります。

ふたつめは、両肩を「落とす」ところ。「下ろそう」と思うとそこに意

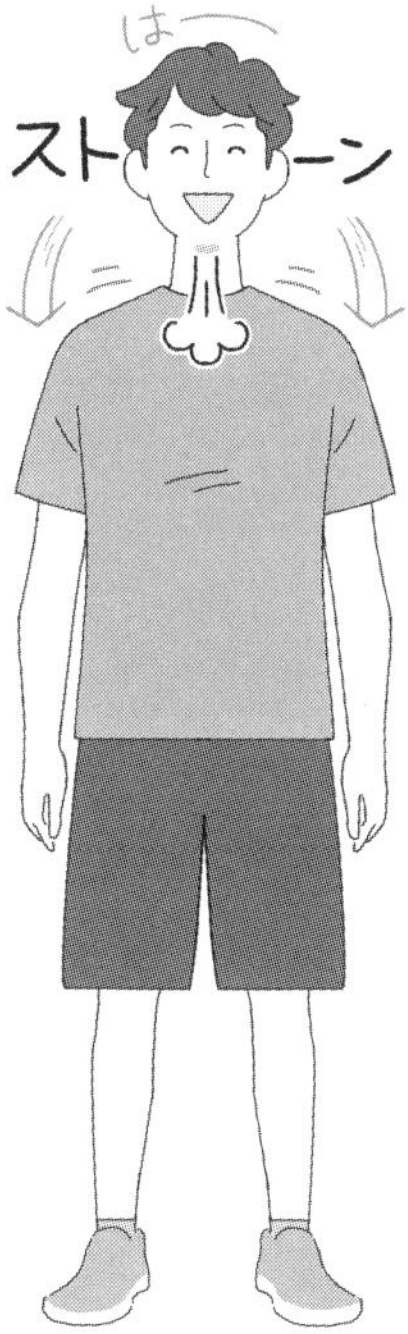

3

「はあ〜っ」と深いため息をつきながら、両肩の力を抜いてドスンと下に落とす。これを3回行う。

思が働くので筋肉が力みます。ゆるませることが目的なので、気持ちよさを感じながら力を抜いて、重力に任せて落としましょう。

昨今はパソコンで仕事をするのが当たり前になり、肩こりや首こり、腰痛は深刻な現代病でもあります。

長時間同じ姿勢を続けていると、その形で筋肉が固まってしまい、血行が阻害されるだけではなく、声まで出づらくなっていきます。


また、「失敗できない」など、日ごろからプレッシャーや緊張感が強い方、緊張している時間が長い方、不安を感じやすい方は、首をすくめるクセがあります。

首をすくめるということは肩が上がっているということ。つまり肩の筋肉に力が入っている状態です。

いつもがんばっている**肩回りの筋肉をリラックスさせてあげることで、声がスムーズに出やすくなります。**


さて、肩回りがほぐれたら、次は肩甲骨回りのエクササイズを紹介しましょう。

こちらも肩同様、パソコン作業などで同じ姿勢を続けていると硬くなり、動きが悪くなりがちです。

肩甲骨が硬くて動きが悪くなると、肺は小さくなったり大きくなったり、豊かに動くことができません。そうなると呼吸が浅くなり、声は小さくなります。

しっかりと肩甲骨をゆるませてあげることで、豊かな呼吸を取り戻すとともに、よく響く声まで取り戻すことができます。

腕回しエクササイズ

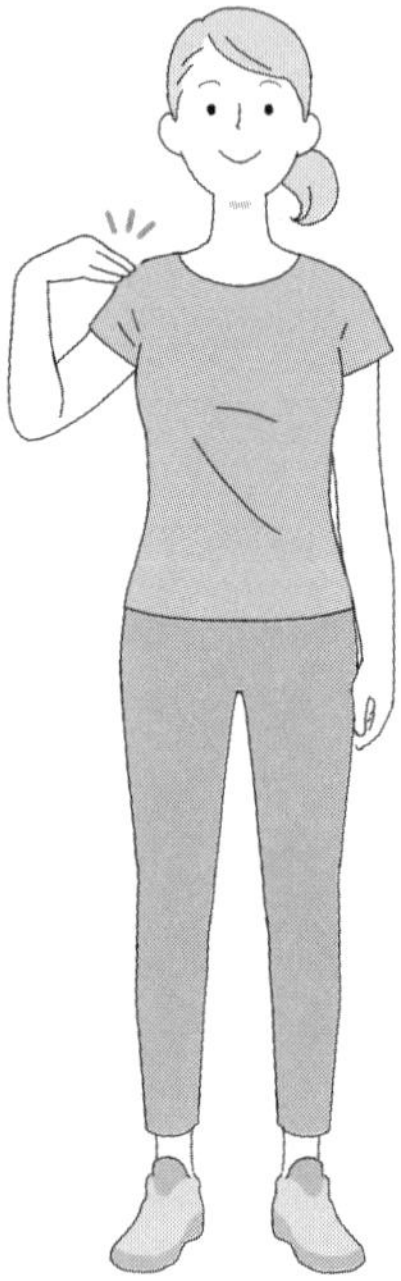

1

右手の指先を揃えて肩に置く。

POINT!

腕を回すときに、肩、肩甲骨回りが硬い方は、ひじと頭が離れてしまいます。無理のない程度にひじが頭の上、一番高い位置にきたときにはできるだけ真上(垂直)にくるようにしましょう。このとき、腕と耳がタッチできるまで腕が高く上がるようになると◎。左手に移る前に、左右の肩、肩甲骨回りの柔

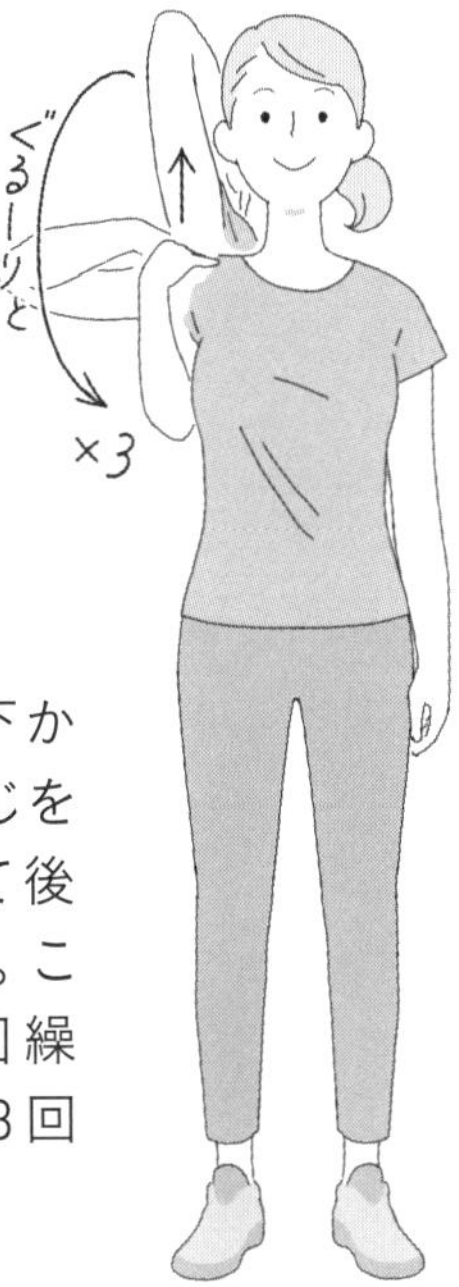

2

腕を体の前方、下から上に回してひじを高く上げ、そして後方に下げていく。これをゆっくり3回繰り返す。左手も3回同じ動作を行う。

らかさの違いを感じてみましょう。動かすときの滑らかさがずいぶん違うはずです。

腰からキュッキュエクササイズ

1

右手の親指が
前にくるように
して腰に手を
置く。

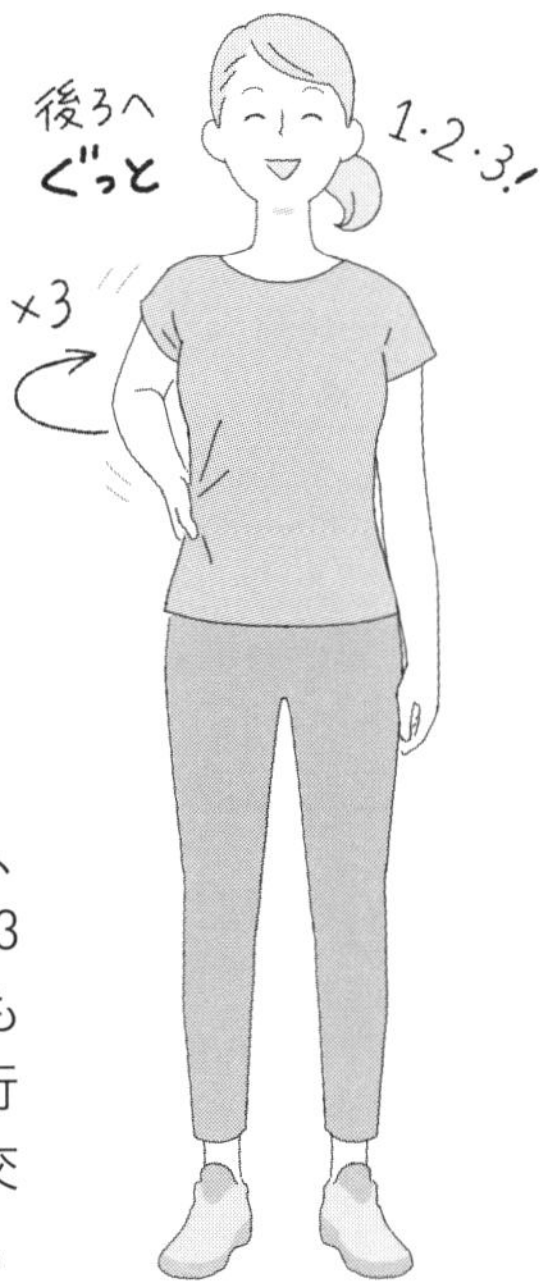

②

ひじを後方に「1、2、3」とリズムよく3回動かす。左手も同じ動作を3回行う。これを右左交互に3回ずつ行う。

POINT!

ひじを動かすとき胴体（体の軸）がぶれないようにまっすぐ保ちましょう。
そのままひじを後ろに動かしてください。

うっふんエクササイズ

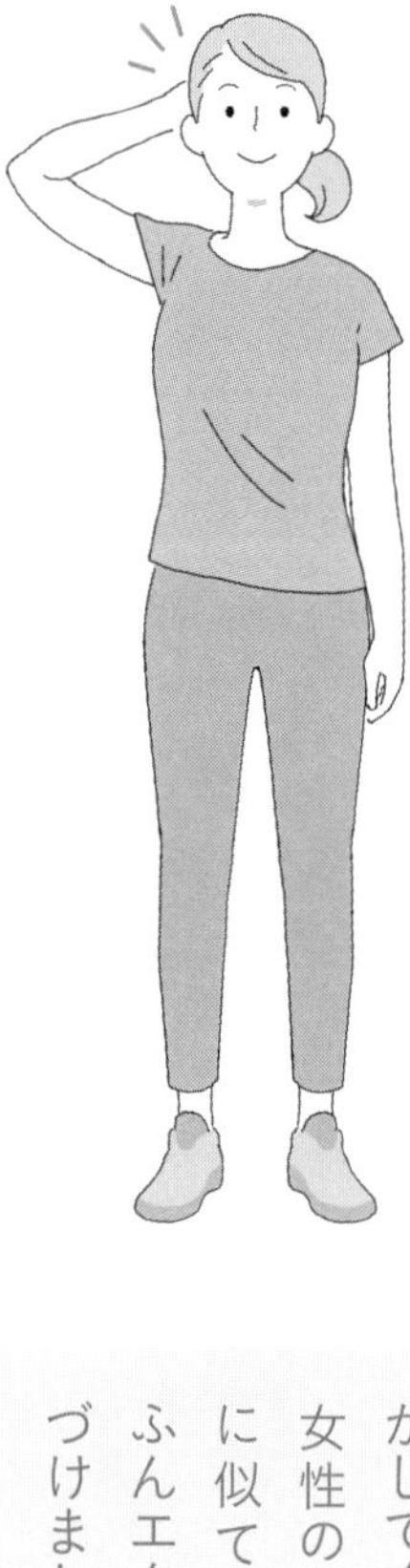

1

右手を頭の後方に置く。

POINT!

ひじを動かすとき胴体（体の軸）がぶれないようにまっすぐ保ちましょう。

そのまま腕を後ろに動かしてください。

女性の色っぽいポーズに似ているので、うっふんエクササイズと名づけました（笑）。

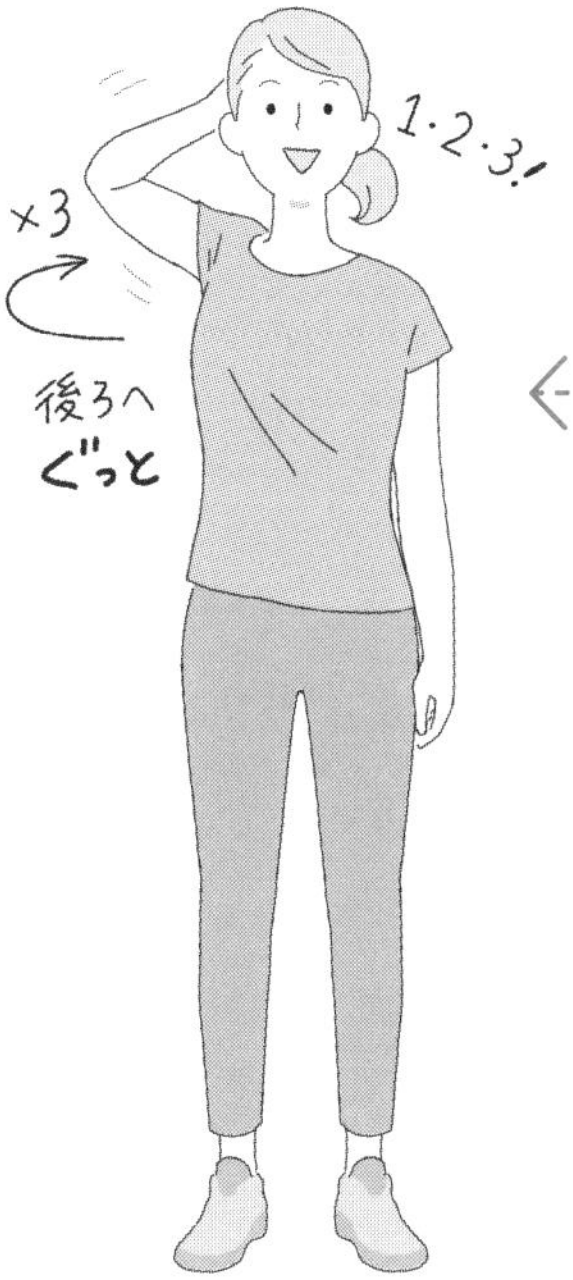

②

ひじを後方に「1、2、3」とリズムよく3回動かす。左手も同じ動作を行う。

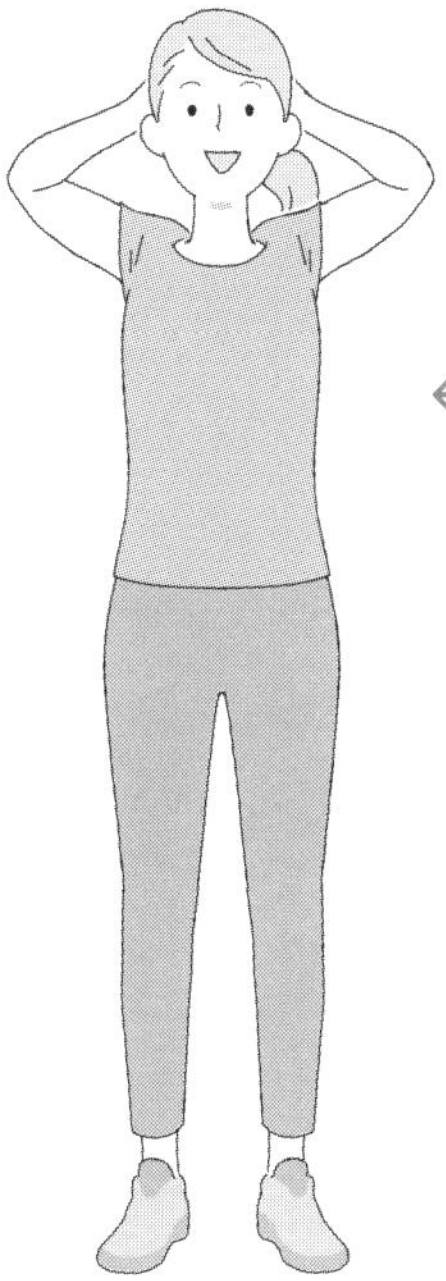

③

両手で同じ動作を行う。

ウェルカムエクササイズ

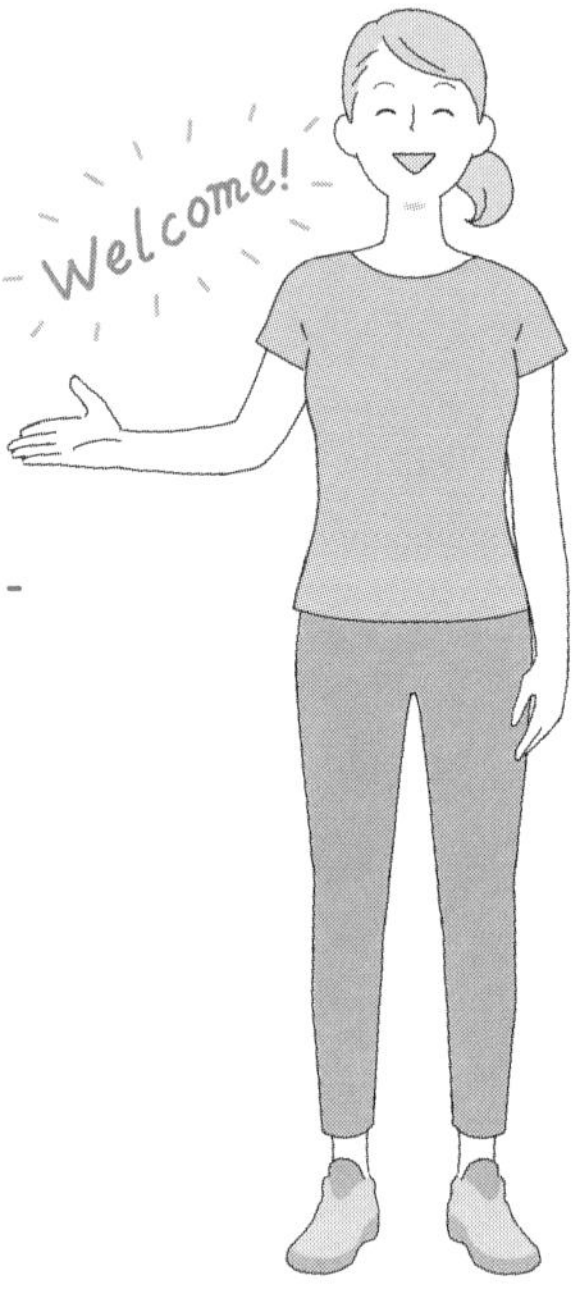

1

「ウェルカム」を表現するように、右手を体から少し離れた横の位置に出す。

POINT!

腕を動かすとき胴体(体の軸)がぶれないようにまっすぐ保ちましょう。
肩甲骨が動いていることを感じながら、腕を後ろに動かしてください。

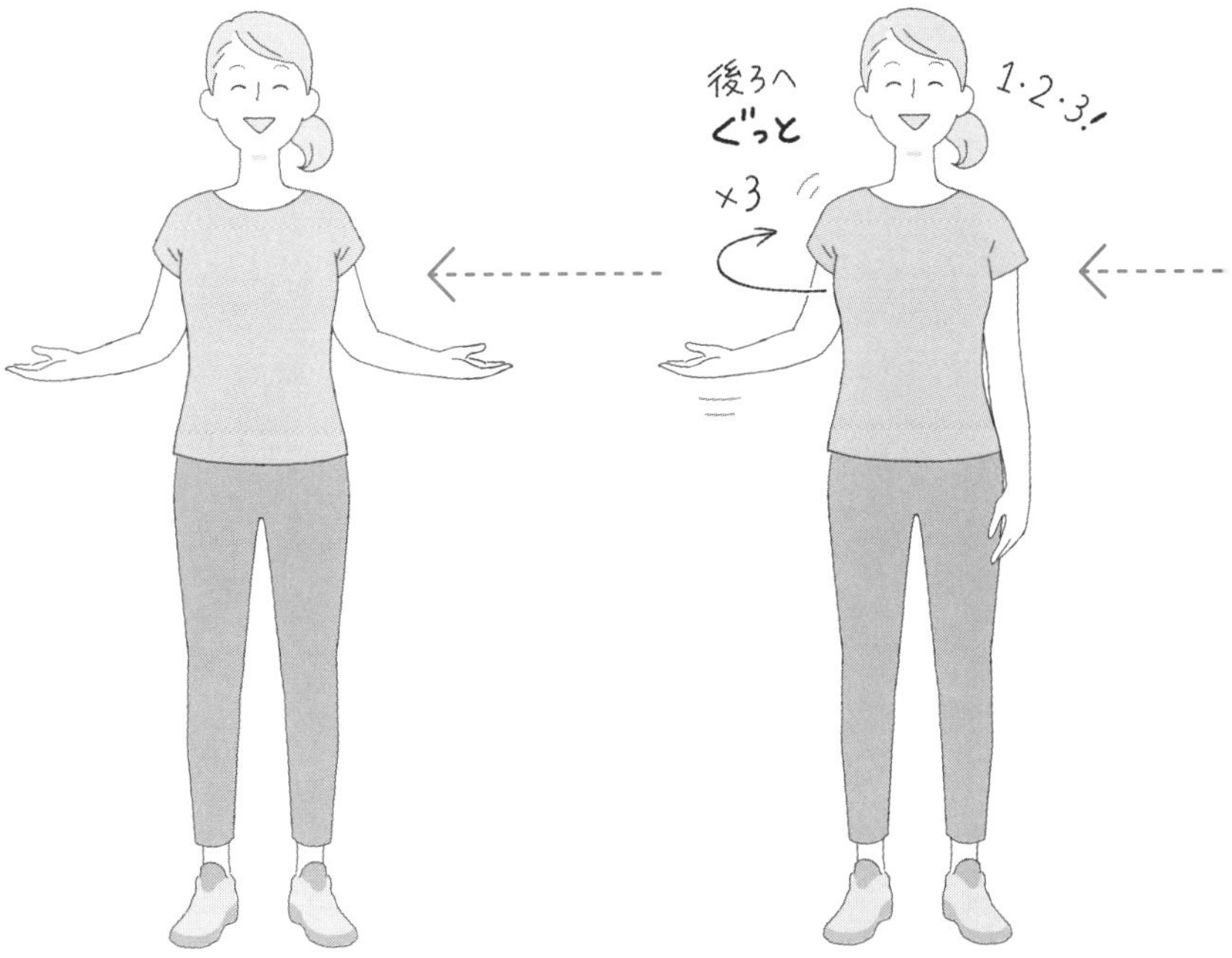

② 腕を後方に「1、2、3」とリズムよく3回動かす。左手も同じ動作を行う。

③ 両手で同じ動作を行う。

頬回りをゆるめるエクササイズ

1

ゆるめる前の口回り、頬の動きを確認するために、まずは「あえいおう」と発声する。

※ほぐした後に、頬回りの筋肉の動きやすさの変化を確認するので、ほぐす前の筋肉の動きの感覚、そして声のトーンを覚えておいてください。

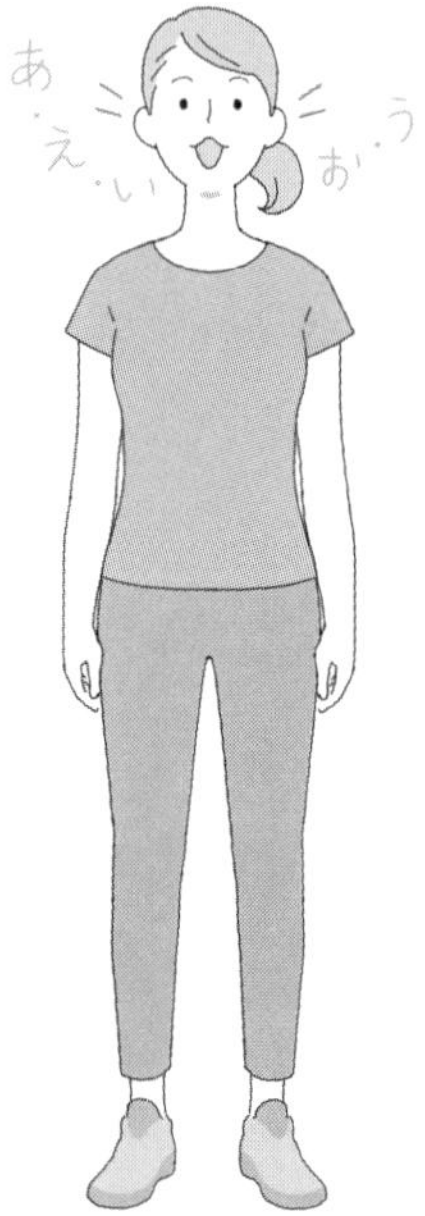

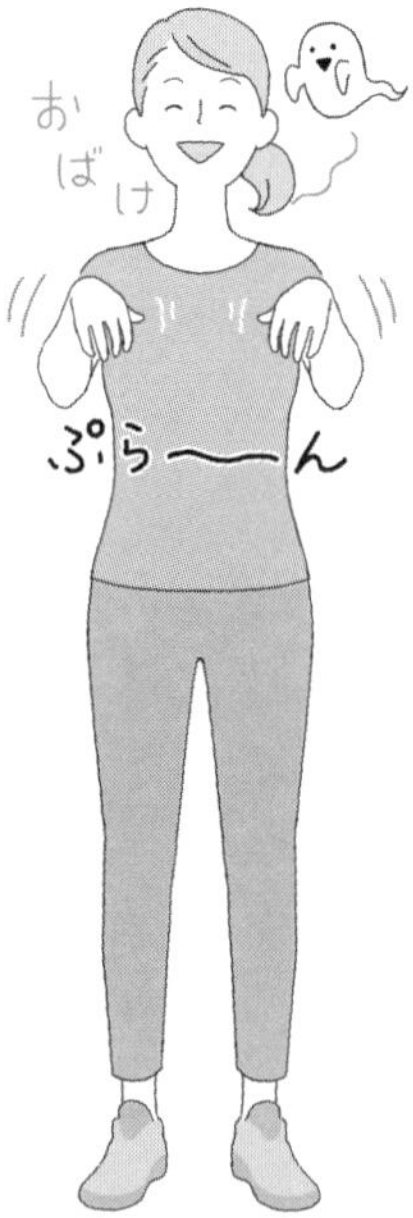

2

両手の指の力を抜いて、「おばけ〜」と両手を前に出す。

3

キュッと軽く手を握って、両手の指先から第二関節を頬骨の下に置く。

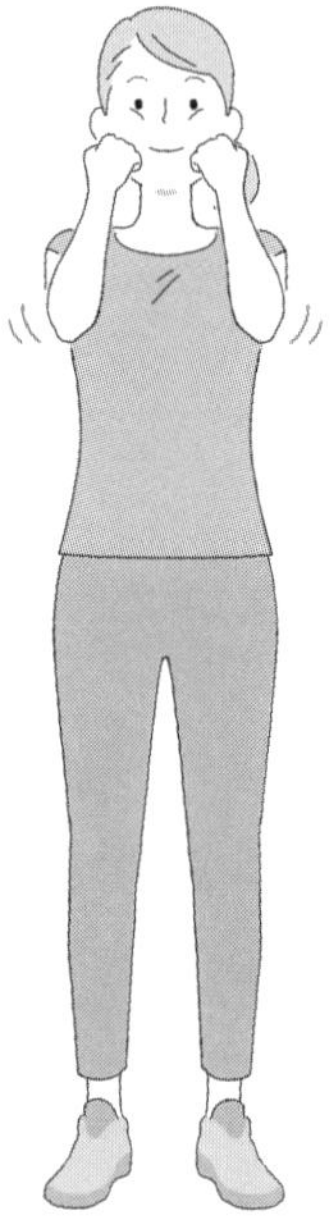

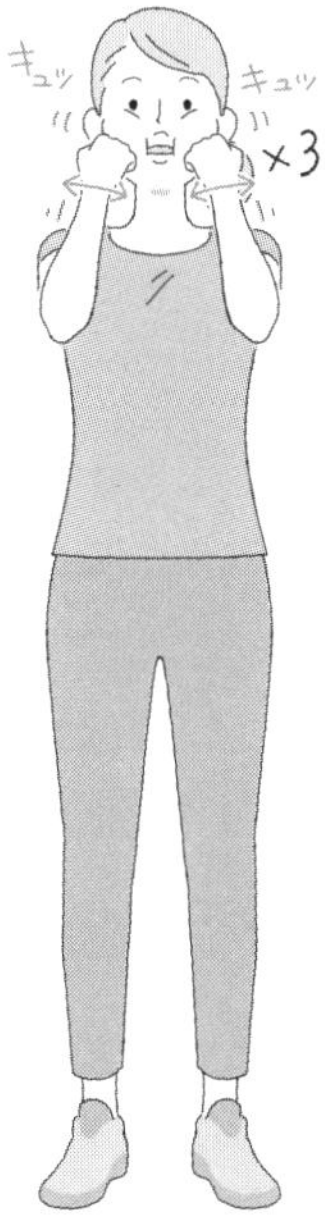

4

頬骨の下に置いた関節を「キュッキュッ」と横に3回動かしてマッサージする。

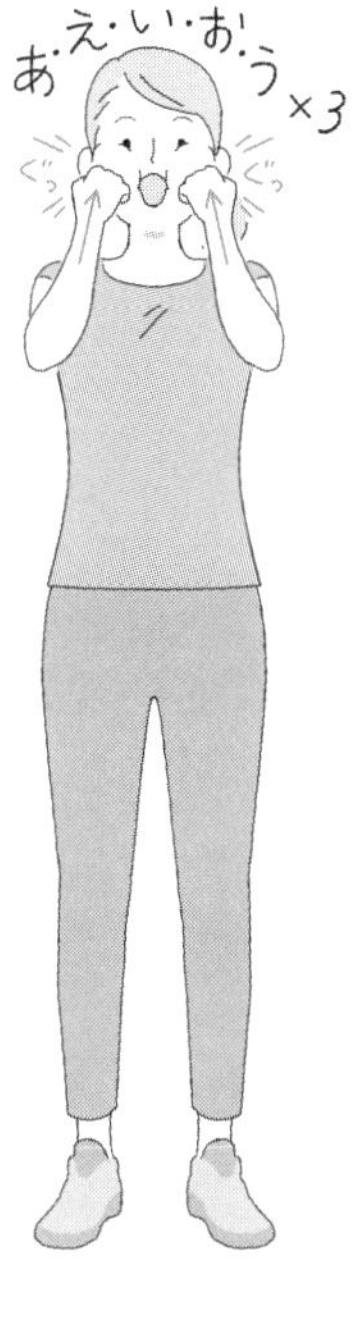

5

関節で頬骨をしっかり上に押し上げながら、大きな口を開けて「あえいおう」と3回声を出す。

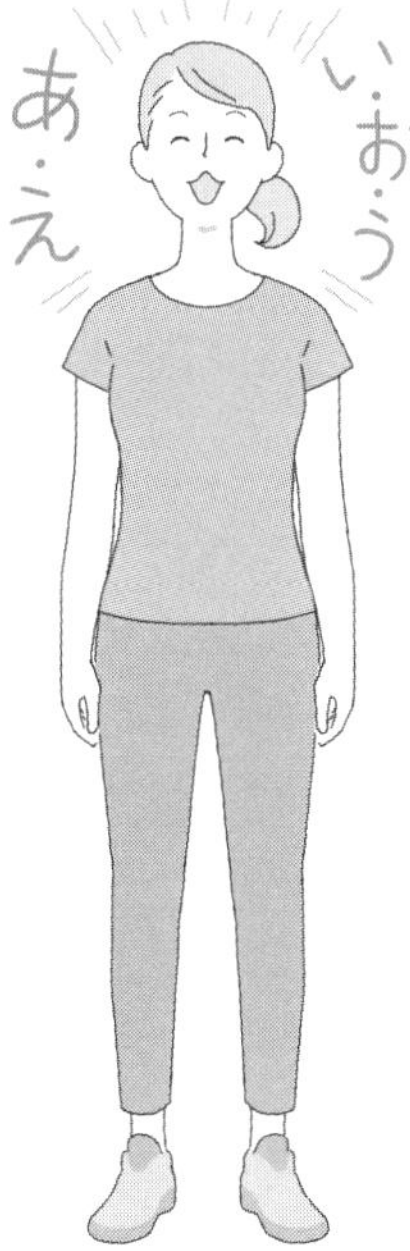

6

両手を頬骨から外して「あえいおう」と発声する。ゆるめる前よりも筋肉の動きがスムーズに軽くなったことを確認する。

さて、ここまでのエクササイズで体や顔回りの筋肉はほぐれましたか？

感動ヴォイスの基本レッスンは、こうやって「全身の筋肉をゆるめる」ことです。まずは筋肉をゆっくりほぐして、声が響きやすい体をつくっていきます。


ここで、声の響きの要になる「共鳴」について触れておきたいと思います。

ちょっと話はそれますが、私が今でも記憶に残っている音に、数年前に行ったメキシコのカンクンという都市にある、セノーテという洞窟の泉での音があります。

セノーテは、中でダイビングやシュノーケリングができるほど大きな洞窟でした。青く神秘的なセノーテの美しい風景も強く記憶に残っていますが、洞窟の天井から泉に落ちていく「ピシャ！ ピシャ！」という、洞窟内に響きわたる大きく美しい水の音色は昨日のことのように耳に残っていて、ふとした瞬間に思い出されて懐かしく感じます。


通常、水が落ちる音はそんなに響くものではなく、本当に小さな音でしかありません。

ですが、大きな洞窟になればなるほどその音が大きくなって、周りに響きわたります。

洞窟とは、地中にある一定の大きさの空間のことをいいますが、まさにこの空間があるから、空間の中で音が反響して共鳴し、響きになるのです。

たとえば、教会などに行くと賛美歌の美しい音色が教会内に響きわたりますが、これもやはり、教会の天井は高くつくられていて空間があるから音が響くのですね。

これは、人間の体も同じです。いうなれば**体は楽器、声は音。**

人間の体の中にも空間があり、そこに声を共鳴させ響かせることで、外に出る声は美しく豊かに響くのです。

共鳴を起こす空間を共鳴部と呼びますが、人間の体の中には主に3つの共鳴部があります。

咽頭腔《いんとうくう》↓声帯がある周辺

口腔《こうくう》↓口の中

鼻腔《びくう》→鼻の中

いずれも「腔」という漢字を書くとおり、この部分が十分に開いて空間があることが、共鳴を起こし声が響く大前提になります。

この3つの部分の共鳴を、自分の体で確認することができます。

やってみましょう。

❶ 咽頭腔

ゆで卵を横に倒して口に入れているようなイメージをしながら、口の中に丸い空間を作り、「おー」と低い声で発声してみましょう。

胸のあたりに振動を感じるはずです。

咽頭腔が開いているので、深い声になっていると思います。

❷ 口腔

舌の奥（舌根《ぜっこん》）を下げ、口蓋垂《こうがいすい》という喉の中央の垂れ下がった突起部分が上がった

3つの共鳴部

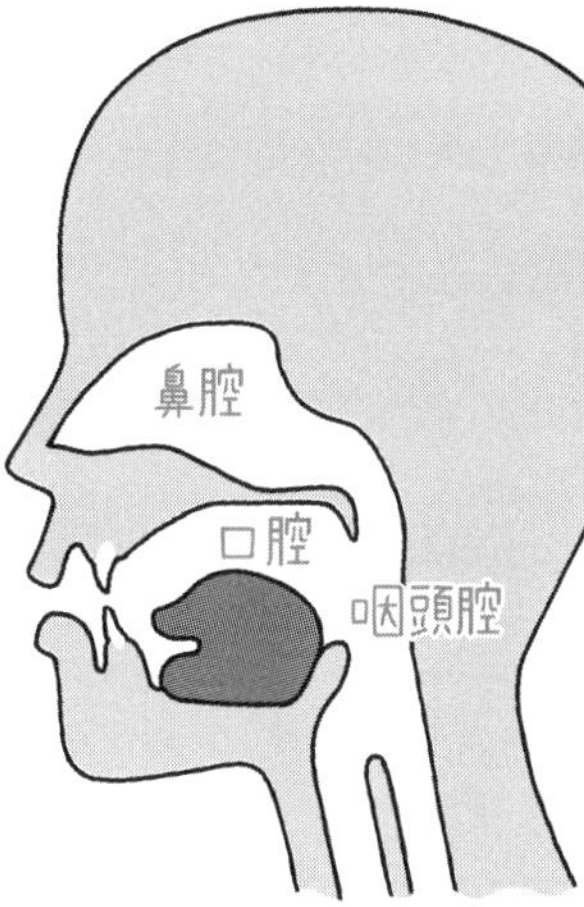

状態で、あくびをするイメージで「あー」と発声してみてください。

あくびの声はよく響きますが、これは口腔が開き、共鳴している状態だから響くのです。

③ 鼻腔

口を閉じて、後頭部に響かせるイメージで「ん～」とハミングします。

このときに鼻を触ってみてください。振動しているはずです。

それが、鼻腔が共鳴しているということです。

STEP 2

姿勢を整える

体がほぐれたら、次は響く声が出るように姿勢を整えていきます。できれば姿見などに全身を映して行ってください。以降のトレーニングで声を出すときは、常にこの姿勢を意識します。

基本の姿勢

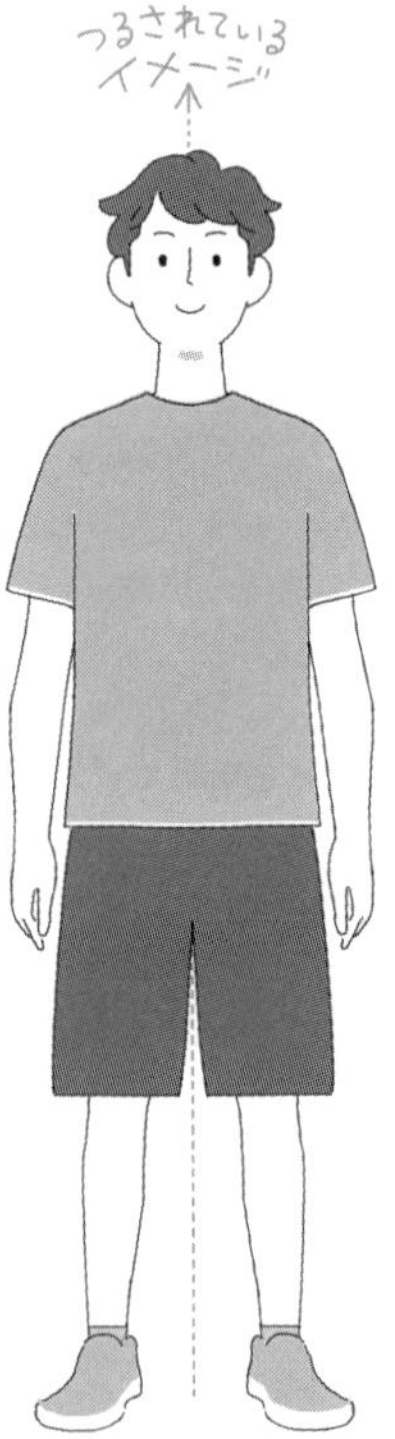

1

足を肩幅に開いて立ち、重心を真ん中にもってくる。頭のてっぺんから糸で上につるされているイメージで背筋を伸ばす。

2

両手を後ろで組み、
ひじから下の力を抜
く。

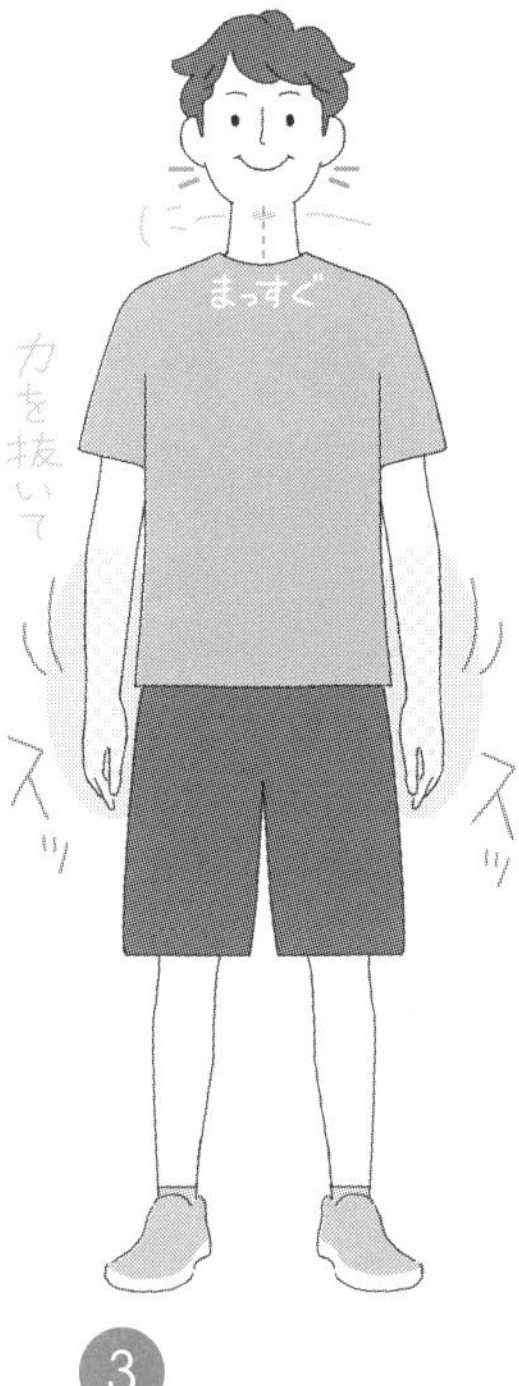

3

首をまっすぐに立
てて、口角を上げ
る。

この姿勢で声を出すと、自然と深い呼吸ができるので、吐く息の量が安定し、今まででより力強い声が出るようになります。

また、口角を上げることで口内の響きがアップし、声の一音一音が明瞭になります。

先日、受講者の中に「『話し方がだらしない』って言われるんです」とおっしゃる方がいました。

よく見ると、その方は常に片足重心立ち。また、非常に猫背で首がやや横に倒れています。そして、口の端が下向きになり、への字に曲がっていました。

そこで基本の姿勢をやってもらい、「では、その状態で少し話をしてみてください」と伝えたところ、「え、少し話をって、何を話せばいいですか？　なんでもいいのでしょうか」とおっしゃった次の瞬間、「えっ！　私、話し方変わりましたね！」と驚かれていました。

これまでは声に力がなく、一音一音が不明瞭で聞き取りづらかったのですが、この姿勢をしたとたんに、クリアで力強い声が自然と出るようになりました。

こんなふうに、**正しい姿勢で立つと、おのずとだらしない話し方ができなくなります。**

「自分も同じかも……」と感じた方は特に、もちろんそれ以外の方も、鏡を見ながらこの基本姿勢を自分でチェックしてみてください。

STEP 3

呼吸を整えて声を出す

さぁ、いよいよ実際に声を出していきます。まずはゆったりと息を吸い込む方法です。バイブレーションの源は、豊かな呼吸にあります。深い呼吸を体感するために、次の呼吸をやってみてください。

1

足を肩幅よりも少し開いて、左右の足先を平行に向けて立つ。背筋を伸ばしたままひざを軽く曲げて重心を落とす。

POINT!

口を縦に大きく開けながら、目も大きく見開いて吸うと、たくさんの空気を吸い込めます。手もゆったり動かすことで、より豊かな呼吸ができます。

③

今度は❷の動作で息を吐くときに、「はぁ――――」という声（原音といいます）をのせる。この動作を3回行う。

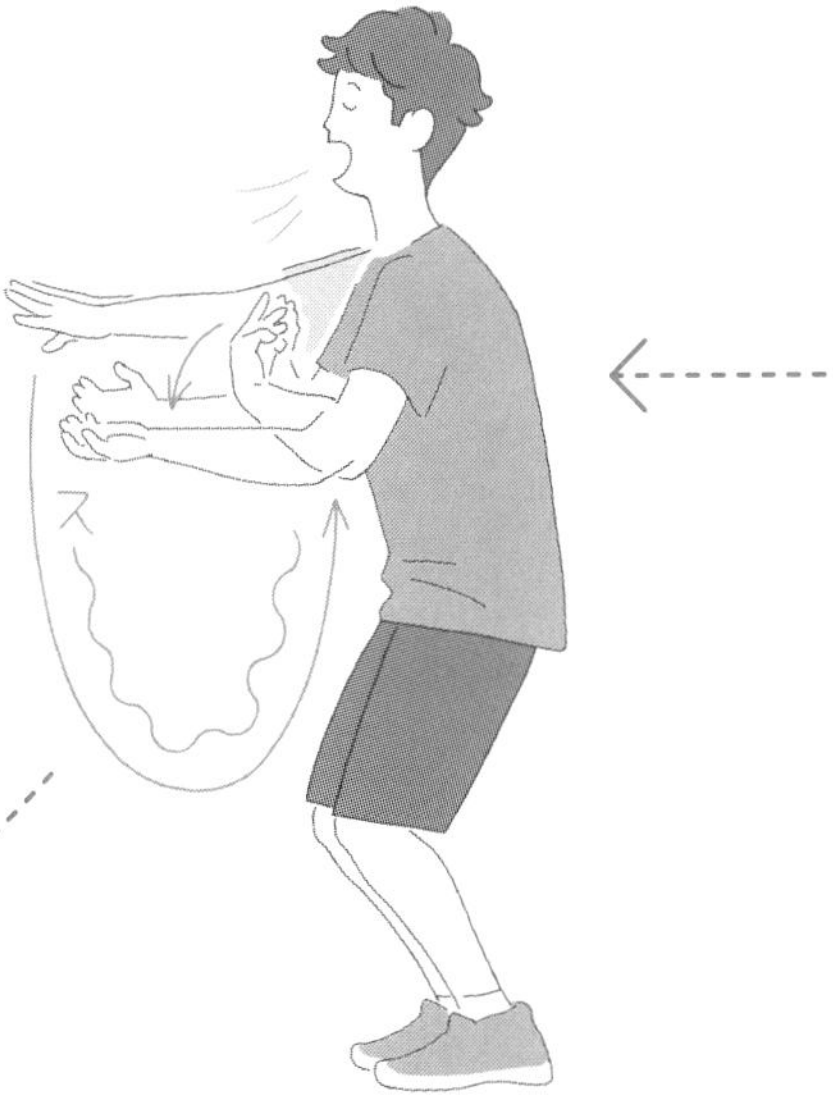

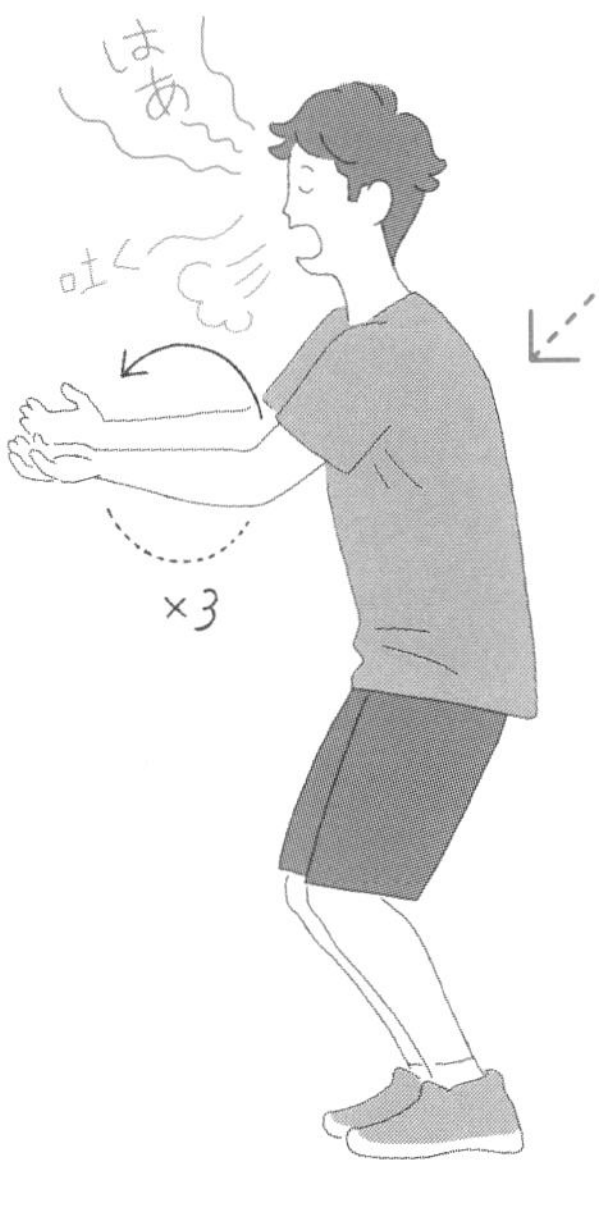

②

❶の状態から両手を床に向かって下げたら、胸のあたりまで移動させながら口から大きく息を吸う。すくい上げた空気を、掌を返しながら息を吐く。この動作を3回行う。

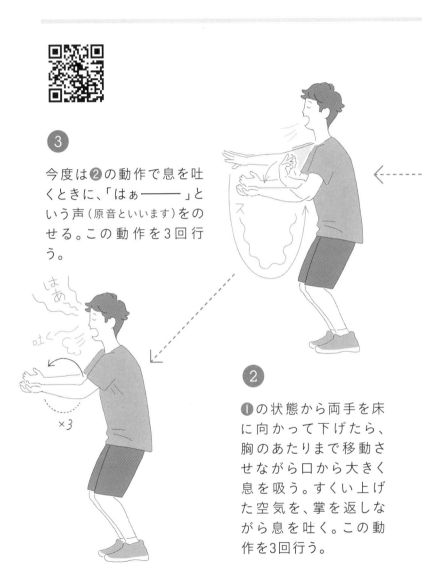

104ページのPOINT！で、「口を縦に大きく開けながら、目も大きく見開いて吸うと、たくさんの空気を吸い込めます」とお伝えしました。

実際に自分の体でやってみると、たくさん空気を吸い込めるということを実感していただけます。


まずは、吸って吐いての呼吸を通常通りしたまま、徐々に口を大きく開けていきます。そして、これ以上開かないなというところまで開けたら、今度は徐々に口を元に戻していきます。2〜3回これを繰り返し、次のことを確認してみてください。

口を徐々に開けていったとき、呼吸はどうなっていますか。吸っていますか？　吐いていますか？

では、口を徐々に元に戻していったときはどうでしょうか。吸っていますか？　吐いていますか？


今度は、先ほどと同じく、吸って吐いての呼吸を通常通りしたまま、徐々に目を大きく見開いていきます（口は閉じたままでかまいません）。

そして、これ以上開かないというところまで開けたら、今度は徐々に目を元の状態に戻していきます。2~3回これを繰り返し、次のことを確認してみてください。目を徐々に見開いていったとき、呼吸はどうなっていますか。吸っていますか？吐いていますか？

では、目を徐々に元に戻していったときはどうでしょうか。吸っていますか？　吐いていますか？

私たちは口を大きく開けていくときに空気を吸い、口を元に戻すときには吐いていますね。

目も同じで、目を大きく見開いていくときには空気を吸い、目を元に戻すときには吐いています。

開けるときに吐いて、閉じるときに吸う、というような逆の呼吸は難しいのです。

なぜこのような呼吸になるのかというと、**顔の筋肉の動きと横隔膜がつながって連動しているから**です。

横隔膜は肺のすぐ下にある筋肉です。

肺は自分で大きくなったり小さくなったりできません。周りの筋肉が動かしています。その周りの筋肉のひとつが横隔膜です。

顔の筋肉が動くと、横隔膜は下がります。口を大きく開けたり、目を見開いたりすると、横隔膜が下がるということです。

横隔膜が下がると、肺は大きく膨らまないといけません。中に空気を取り込まないと膨らむことができないため、空気を吸うことになります。

顔の筋肉が元に戻ると、横隔膜も元に戻り、上がります。

横隔膜が上がると、肺は小さくしぼむことになります。中に空気が入っていると小さくなることができないので、中にある空気を吐き出すことになります。


つまり、**表情が豊かな人は、呼吸が深い**ということです。

声の豊かさと呼吸はつながっているので、表情が豊かな人はよく響く声が出やすいのです。

さて、ここまでが感動ヴォイスの基本トレーニングです。

このトレーニングを行うことで、普段の呼吸も豊かになり、響きのある通る声が無理なく出せるようになっていきます。

声のお悩み別トレーニング

ここからは、声にまつわる悩み別のトレーニング方法を見ていきましょう。

声の個性を構成する要素は、「大きさ」「音質」「高低」「速度」「間」の5つになります。

あなたの声に対する悩みは、次のどれに当てはまりますか？

1. 「声が小さくてよく聞き返される」のは声の大きさ
2. 「モゴモゴとこもってしまう」のは声の音質

③「声が低すぎて通らない」のは声の音質、もしくは高低
④「早口で聞き取れない」のは声の速度や間
に問題があると考えられます。

これ以外にも、
⑤滑舌が悪い
⑥舌足らず
など、代表的な声にまつわる悩みへの対処法もあわせて紹介します。

「自分はここに問題がありそうだ」というところのトレーニングを重点的に行いましょう。

そうすることで、より聞き取りやすく、相手に届きやすい魅力的な声が出せるようになります。

① 声が小さくてよく聞き返される人は「呼吸」を改善

声が小さいあなたは、呼吸が浅いことが原因です。

改善するためには、呼吸を豊かにすることがもっとも重要になります。

まずは、先ほどお伝えした**「基本の呼吸トレーニング」**（104ページ）**を実践して、豊かな呼吸法を身につけてください。**

そのうえで、声を大きくする簡単なコツをお教えします。

発声練習をするときに、「目線を遠くにやること」です。

あなたの口から出た声のバイブレーションは、目線の先、「見ているところに」飛んでいきます。

ですから、目線を遠くにやりながら練習をするといいんです。

日ごろから長時間パソコンやスマホと向き合っている方が多いと思いますが、目からパソコンやスマホ画面までの距離が近い環境で作業やコミュニケーションをしていると、声のバイブレーションを遠くに飛ばす必要がないので、自然と声は小さく、呼吸は浅くなります。

たとえば、私がいつもお願いしている美容師さん。

現場で実際にハサミをふるう施術者でありながら、美容院の経営者でもある彼は、食事をするために入ったお店では絶対に自分で注文しないそうです。「自分が声をかけても、お店の人に振り向いてもらえなくて。だから一緒にいる人にいつも注文してもらってるんだ」そう。

「ああ、お仕事柄かもしれませんね」と私は言いました。

美容師さんは、常にお客様との距離が近い中で話をし、声を出しています。声を届かせる目標地点がごく近くにいるため、レストランのように遠くの方に声を届ける呼吸の大きさ、筋肉の動かし方が習慣化されておらず、普通に声を出しても届かないのです。

こういう声の特徴のある人を、私は「空間距離が近い人」と呼んでいます。

「会議室で提案をしても、部屋の端まで声が届かなくて、なんだかあんまり話を聞いてもらえないんだよね……」というあなたは、まさに空間距離が近い人です。

そういう方は、たいてい呼吸が浅くて、声を出すための筋肉の動きが弱い傾向があります。

こんなふうに発声や呼吸の仕方は、普段の生活環境や仕事環境で形成されま

す。

ですから、**目線が近くばかりに行きがちな生活や仕事をしている方は、窓の外の遠くの景色を見て、ゆっくりと深く呼吸をしてください。**

そして、窓の外の遠くにある建物などの目標物を決めて、その目標物の頭を越える意識で「あ――――」と気持ちよく声を投げてみてください。

「距離」の感覚を変えるだけで、自然と喉がゆるみ、大きな声が出やすくなります。

② 声がモゴモゴとこもる人は「口元の筋肉」を改善

つい先日、カフェで仕事をしていたときのこと。

目の前に突然、スッと顔を出してきた方がいて、「え！」ととても驚きました。

次の瞬間、知り合いだということがわかったので、「ああ〜、びっくりした〜」と笑い話になったのですが、その方いわく、「さっきから声かけていたんだけど……」とのこと。

いやあ、気づきませんでした。

この方は普段、対面で話をしているときも、なんとなく独り言を言っているような印象のある方で、私に伝えたいのか、自分で自分につぶやいているのかが、少しわかりにくいところがありました。

そうなると会話がしづらいですよね。

こういう方は、たいていモゴモゴこもる話し方をする人です。

口元をあまり動かさずにモゴモゴ話す方は、口の中だけで話す、省エネルギー的な声の出し方をします。声のバイブレーションがほとんど外に出ていかないため、相手に声が届きません。

これは、**普段から口元の筋肉を使っておらず、口元の筋肉の動きがよくないため、発音に必要な口の形をつくれないせい**です。

モゴモゴさんの口元を見ていると、どうも口元の動きがぎこちない方が多いのは、**筋肉が硬くなっているから**です。

そのため動かそうと思ってもうまく動かすことができません。

しかし、硬いところに筋肉をつけようとしてがんばってしまうと、さらに筋肉をこわばらせて硬くしてしまうだけ。

ですから、モゴモゴさんはまずはこの章で紹介した基本エクササイズをしっかり身につけ、口元をゆるめてから筋力をつけていくといいでしょう。

③ 声が低すぎて通らない人は「舌の硬さ」を改善

「声が低すぎて通らないんです」という悩み相談を受けることがよくあります。

女性からだけではなく、男性からも同じような相談をいただきます。

確かにそうおっしゃる方の声は低い傾向があります。

しかし、**「声が通らないのは低いからだ」というのは、ご本人の思い込みであることも多いです。**

声の高低は生まれながらの骨格によって決まるなど、それは各人の「個性」です。

個性は磨けば光る。

実は、声が通らない理由は他にある場合がほとんどです。

私が見てきた限り、真の理由は心理的な面にあり、そのため声が通らないケースが多いです。

たとえば、「私はよく聞き返される。私の声はよくない声だ」という思い込みから自信をなくし、話をすること、声を出すことに消極的になる。

そうすると、あまり口を開けずに話をするようになります。

相手に対してオープンになれない心理が、心を見せない＝口の中を見せない、という行動に表れ、口の開きが小さくなるのです。

そして、心の緊張が筋肉を緊張させ、舌をも硬くさせます。

舌は筋肉です。

舌と声帯は近い位置にあり、舌が硬いと声帯も硬くなっている可能性が高いです。そして、声帯が硬いと声が出づらくこもりがちになります。

たまたま低めの声をもつ方が、自分の声や話し方に何かしらで自信をなくし、声が通りづらい状態になった場合、その本人は「声が低いから通らないいんだ」と誤解してしまうのです。

こういった場合は、**口元をゆるめてしっかりと開けて、舌の緊張をとって柔らかく保つ**ことが解決策になります。

バスケットボールの神様と呼ばれたマイケル・ジョーダン。

彼が試合をしている最中に、「あかんべー」をしているかのように舌を出してプレーしていたのをご存じでしょうか。

一見、ふざけているように見えるかもしれませんが、舌出しプレーは「勝つため」の戦略のひとつといえます。

プロバスケットボールの試合ともなると、当然ながら大きなプレッシャーがかかっている中でプレーをすることになります。

大きなプレッシャーから、過度に緊張してしまうと、筋肉が硬直して体が思うように動かなくなり、プレーに支障をきたします。

また、頭の中もフリーズしてしまい、冷静に考えながらプレーすることが難しくなります。

そのネガティブな緊張状態を回避して、もてる力を100％発揮するために、舌を出してプレーすることは理にかなっています。

舌の硬さは、実は全身の硬さ、力みにつながります。

簡単に自分の体で確認することができるので、やってみましょう。

まず立ちます。それから舌を縮めるように固めて、あごにも力を入れて、前屈をしてみましょう。

どこまで曲がりますか？

次に、マイケル・ジョーダンになって前屈をしてみましょう。

あかんべーをするように舌の力を抜いて、舌を出した状態で前屈をします。

どこまで曲がりましたか？

舌を固めていたときと比べて、舌を出したときのほうが深く前屈ができたのではないでしょうか。

声が通らないという方だけではなく、緊張しやすいという方もこれをやってみてください。

体全体の力みが消え、気持ちもゆるみ、ラクになると思います。

④ 早口で聞き取れない人は「間」を改善

話す速度には、環境要因、メンタル要因なども関係していますが、頭の回転が非常にいいため、早口になってしまう方が多くいます。

次々に話す内容が頭に浮かび、口から言葉が飛び出していくのですね。

あるいは、イライラしていると、心身のリズムが速くなるので、人はたいてい早口になります。

しかし、**聞き取りやすい速度というのは、1分間に350字程度**だとされています。NHKのアナウンサーがニュースを読む速度が、だいたいこれくらいの速さです。

それ以上速くなると聞き手にとっては聞き取りづらく、だんだんイライラしてくることもあります。うまく聞き取れないため、説得力もありません。

この**早口の人の話には、「間がない」という特徴があります。**

聞き手は、間のタイミングで聞いた話を咀嚼し、ひとつひとつ理解しながら話の内容をすべて理解しようとします。

ですから、間がないとすべてを理解しようがないのです。

そういうわけで、早口なあなたは間を意識するトレーニングをやってみましょう。しっかりと間を取るクセをつけることで、相手が聞き取りやすい声を出すことを目指します。

Let's try

次の文章を声を出して読み進めます。(間)と書いてあるところでしっかり1秒の間を空け、そこで息を吸ってから続きを読み進めてください。


笑顔で豊かな(間)声を出しましょう(間)。

その声を聞いた人も(間)笑顔で豊かな(間)気持ちになれるから(間)。

声の力で(間)大きな幸せを(間)つくっていきます!

間が取れないと呼吸も浅くなり、声に響きがなくなります。しっかりと間を取ることで、響きのある聞き取りやすい声が出るようになります。

⑤ 滑舌が悪い人は「声を出す口の形」を改善

「何を言っているのか聞き取りづらい」と言われる人の中には、滑舌が悪い方も多くいます。

滑舌の悪さは、「その音を出すための口の形」が作れていないことが原因です。

滑舌を改善したいときは、口の形を明確に作れるような練習をする必要があります。

日本語は、母音と子音で成り立っています。

母音とは「あいうえお」。それ以外の音はすべて、子音と母音から成り立っています。

母音の5つの音を明確に発音できるようになると、一気に滑舌はよくなります。

早口言葉もラクラク言えるようになる、次のトレーニングにチャレンジしてみましょう。改善されるまで、できるだけ毎日行うのがおすすめです。

Let's try

次の3つのセリフを声に出して順番に言います。

❶「お綾《あや》や　お母上《ははうえ》に　お謝《あやま》りなさい」（1回）

❷「おあああ　おああうえい　おあああいあああい」（3回続ける）
これは❶のセリフから、母音だけを抜き出したものです。

❸「お綾や　お母上に　お謝りなさい」（1回）
最後に、また❶と同じセリフを言います。

❶のときと比べて、発音が明瞭になっていることがわかると思います。

⑥ 舌足らずの人は「舌の筋力」を改善

私が大学院に通っていたときは、自分よりも遥かに若い20代前半の大学院の同級生たちと一緒に研究をしていました。

そのときに「あれ？」と気づいたことがあります。

舌の筋力が弱い学生が多いのです。

彼、彼女たちの口元を見ていると、話をするとき、声を出すときに、歯のすき間から少し舌が出ている学生がちらほらいます。

話し方はとってもキュート。舌足らずの甘い声で、「えっと〜、私は〜、はい、そうなんです〜」と音声は少し間延びしてシャープさがありません。

おそらく小さいころから硬いものを食べる機会が少なくて、あまり噛むということをしてこなかったのかなと思います。

あまり噛まず、舌を使わない生活をしていると、舌の筋肉が弱くなります。

舌足らずの声はかわいらしい印象になりますが、ビジネスの面では、強さや厳しさが必要なときにふさわしい声が出せず、信頼感を得ることが難しくなる場合もあります。

そうならないためにも、次のトレーニングで舌に筋肉をつけましょう。

Let's try

舌を思い切り前に突き出し、10カウントした後、力を抜く。これを3回繰り返す。

ぜひ試してみてください。

「音読」で感動ヴォイスを定着させる

お疲れさまでした！
感動ヴォイスの基本エクササイズはここまでです。

しっかりトレーニングをすると、普段から体がほぐれた状態で、豊かな呼吸ができるようになります。

「なんだか体がラクになって、温まってきた」

「顔がほぐれたせいか、頭痛がやわらいできた」

「呼吸が深くなって、頭がクリアになった」

こんな感想を抱いた方もいらっしゃるのではないでしょうか。


このように、常にリラックスした状態で豊かな呼吸で声が出せるようになると、「オギャ——!」と生まれたときの、あなた本来の声が出るようになります。

この声は、成長過程で失った、あなたの本当の声です。

ですが、失ったものであっても、基本さえしっかり身につければ、何歳からでも本当の声を取り戻すことができます。


この声を定着させ、あなたの「当たり前」にしていただくためにおすすめしたいのが、**「音読」**です。

読むものはなんでもかまいません。本でも、新聞でも、どんなものでもいいのです。音読しながら、あなたが改善したいポイントのトレーニングを重点的に行ってください。

うれしいことに、**声を出して読むと、出さないときと比べて、呼吸をする際の空気の使用量が約3～5倍に膨れ上がり、体内への酸素の取り入れ量が増えます。**

さらに、**声のバイブレーション効果で内臓がマッサージされて血流がよくなるので、心身が否応なしに活性化します。**

私はアナウンサーの仕事を始めるずっと前から、よく音読を楽しんでいました。読むものは手元にあるものならなんでも。本だったり、新聞だったり、雑誌だったり、言葉が書いてあるものはなんでも音読していました。

音読をしていると気分が高揚して、読むことが止まらなくなります。頭の中では「そろそろやめよう。もういいか」と思うのに、なかなかやめられない。外出する前につい音読を始めてしまい、出かけるギリギリの時間まで読むのがやめられず、予定の電車に乗り遅れないようにしょっちゅう駅までの道を走っていました。
まるで、マラソンランナーが長時間走り続けていると、気分が高揚していき、とにかくずっと走りたくなるランナーズハイのような状態です。

このランナーズハイには、脳内の神経伝達物質であるエンドルフィンが関係しているのではないかといわれています。

エンドルフィンは、高揚感や満足感を高めてくれる物質です。

「もしかすると、音読にも何かしらの脳内神経伝達物質が関係しているのではないかしら？」

私はずっとそう思ってきました。

そして近年、面白いことが明らかになりました。

お坊さんが読経を行っているときに、脳内でセロトニンという神経伝達物質がシャワーのごとくたくさん出ていることが確認されたのです。

セロトニンは心を安定させ、安心感を与えてくれる物質で、うつ病の方の脳内では少なくなっていることがわかっています。

つまり、メンタルヘルスを保つにはセロトニンが重要な物質というわけです。
私は、音読にも同じような効果があるのではないかと思っています。

音読する。
たったこれだけであなたの本当の声が定着し、心の健康にもいいのですから、ぜひ積極的に行ってほしいと思います。

第4章

「感動ヴォイス」を使いこなす

応用の発声

朝から爽やかな声が出る「ハミング・エクササイズ」

第3章では、感動ヴォイスの基本についてお伝えしました。

この章では、あなたが身につけた感動ヴォイスを、さらに効果的に使いこなすためのテクニックを紹介していきます。

感動ヴォイスを身につけたあなたたなら、すでに周りの人を魅了する「響き」のあるいい声が出るようになっているはずです。

どこにいても、自然とあなたに注目が集まるでしょう。

このとき、聞き手の興味を逸らさないための声のテクニックがあれば、あなたの影響力はさらにパワーアップします。

そして、あなたの望む結果を手に入れやすくなります。

では、さっそく具体的なテクニックを見ていきましょう。

はじめにお伝えするのは、朝から伸びのある爽やかな声が出るようになるテクニックです。

朝一番に声が出づらいのは、どんな人でも同じこと。

せっかく感動ヴォイスを身につけても、声が出ない状態のまま午前中の大事なシーンに臨むのでは元も子もありません。

「お客様にご提案するプレゼンがあるのですが、朝一番にすることになってしまって……。朝はしっかり声が出ないから、印象が悪くなってしまうかもしれないですよね？　なんとか朝から爽やかな声が出るようにできませんか？」

これはセミナーの受講者からときどきいただくご相談です。

大事なプレゼン、相談者も真剣そのもの。

特にコールセンターにお勤めの方などは、毎日が朝一番から勝負ですね。

そんな方々の助けとなってくれるのが、プロもやっている「ハミング・エクササイズ」です。

基本

ハミング・エクササイズ

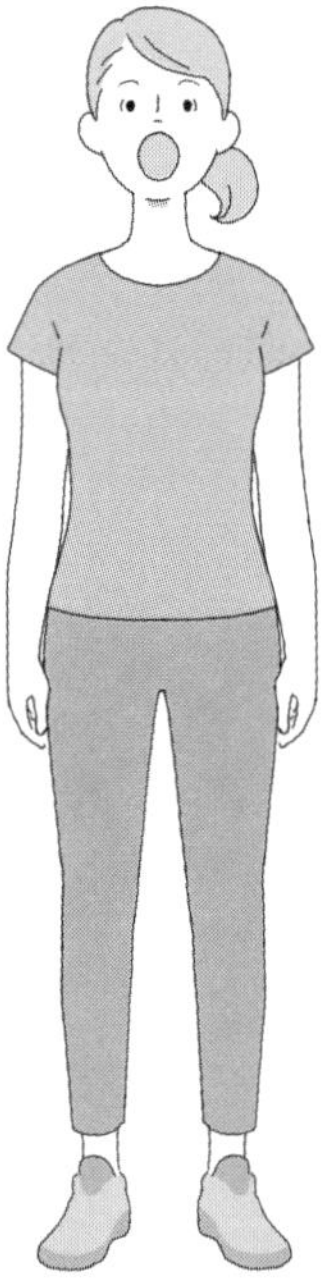

1

あくびをする要領
で、喉を大きく開く。

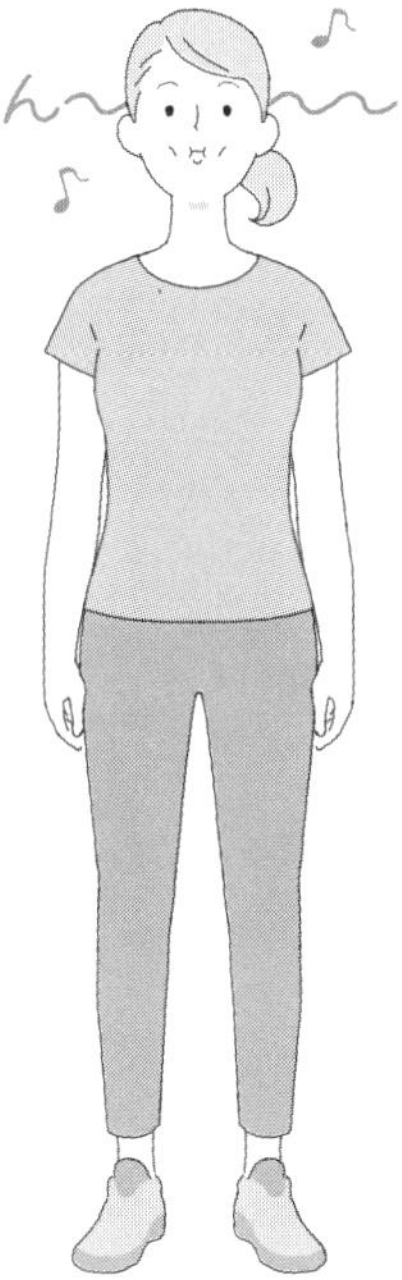

2

喉は開けたまま唇を閉じる。「ん〜〜〜〜〜」と鼻歌を歌うように声を出す。

応用1

スペシャル・ハミング・エクササイズ

基本のハミング・エクササイズ❷の状態から、1秒間に1回、下腹を凹ませながら「ん〜ん〜ん〜」とアクセントをつけて音を強くしながら声を出す。

※このエクササイズでは、強い声を出すためのお腹の筋肉が鍛えられます。

応用2

バイク・ハミング・エクササイズ

スペシャル・ハミング・エクササイズの状態で、「ん〜〜〜〜」と言いながらバイクのエンジン音の真似をして、ランダムなアクセント、声の高低をつけて声を出す。

※声に変化をつけることで、声帯やその周辺のストレッチにもなり、また話すときに表現力の抑揚をつけやすくなります。

このエクササイズは、

1 ハミング・エクササイズ

2 スペシャル・ハミング・エクササイズ

3 バイク・ハミング・エクササイズ

の順番で行ってください。

たとえば、朝起き抜けに急にバイク・ハミング・エクササイズをすると、喉にグッと力を入れてしまい、喉を痛めてしまう可能性があります。

3つのエクササイズを通して1分くらいを目安にやりましょう。

大きな声を出さなくても、このエクササイズさえすれば、いつでも声の準備体操ができてスムーズに発声ができます。

また、いずれも唇を閉じたまま行うので、大きな声を出さず声出しの準備ができます。場所にも困りません。

出勤前に行うと、職場などで声を出すころには、スッキリと力強い声が出せるようになっているはずです。ぜひ試してみてください。

聞き手を惹きつける声の出し方

先日、コンサルティングの仕事をしている友人が、こんなことを言っていました。

「自分が話しているのに、相手がなんだか眠たそうにして……ついにウトウトしてきてさ。ほんと、話す気をなくしたよ」

確かに、目の前の人がウトウトしていたら、話す気をなくしますよね。

ですが、もしかしたら話し手が聞き手を眠くさせたのかもしれません。

この友人のように、

「自分が話すと眠そうにされる」

「つまらなそうな顔をされる」

という悩みを抱えている方、けっこう多いんです。

ちなみに私は、組織内の内部講師を養成する研修も実施しています。

最近は組織内でのさまざまな研修において、外部から講師を呼ぶのではなく、内部で講師ができる人を育てている企業が増えています。

この内部講師養成研修の受講者の方に、「受けたくない研修って、どんな研修ですか?」とおうかがいすると、一番にあがるのが「眠たくなる研修」です。

専門用語が多くて何を言っているかわからない、テーマに興味をもてない、聞いていてワクワクするような情報が盛り込まれていないなど、眠たくなる研修にはいろいろな原因があると思います。

この「**聞いていて眠くなる原因**」は、**声の観点から見ると、「一本調子で抑揚がない」ことにあります。**

とくに日本人は謙虚で恥ずかしがり屋が多いので、普段から話し方が淡々としていて、表情の変化も乏しい傾向にあります。

人前で話すとなると、そこに緊張感が加わるので、余計に声に抑揚がなくなって一本調子になっていきます。

ですが、**聞き手は「変化」に反応します。**

変化があると、「おっ」と興味を惹かれて身を乗り出してしまうのですが、変化がないと「反応しなくていいや……」と無意識のうちにスルーするようになります。そうなると聞き手に悪気はなくても、どうしても集中力が続かなくなり、ウトウトしてしまうのです。

そもそも人間の集中力は45分程度しか持続しないといわれています。

では、それだけの間ずっと集中していられるのかというと、もちろんそんなことはありません。45分もの間、一本調子で淡々と語られる話を集中して聞き続けられる方はまれです。

話に抑揚をつけるためには、「ポイントになるところ」を、

・**大きな声で話す**
・**ゆっくりと話す**
・**繰り返す**
・**その文言の前と後に「間」を空ける**

ことが大切です。

Let's try

次の文章を、抑揚をつけて読んでみましょう。

響く声は、相手の心に届く。
自分の想いや感情まで、相手に伝えることができる。
響く声は、人の心を共鳴させる。
響く声で人とつながり、大きな幸せの輪をつくっていこう。

ポイント!
❶「響く声」という単語を強調して読んでみましょう。
❷ 自分の好きな言葉を強調して読んでみましょう。
※読むたびに強調する言葉を変えていくといい練習になります。

相手の興味を自分の話にしっかり惹きつけておきたいなら、話す前に原稿を作って、大きな声で話すところはどこか、間を空けるべきなのはどこかなど、前述した4つのポイントを練習してから本番に臨むといいでしょう。

声の抑揚で、どこがポイントなのかがわかりやすくなると、聞き手はメモをとりやすくなりますし、記憶にも定着しやすくなります。

ジェスチャーで声の表現力を一気にアップさせる

抑揚のなさを改善するために、もうひとつ効果的な方法があります。

それが、「**身振り・手振りをおおげさに（大きく）つけること**」。

つまり、**ジェスチャーを使うこと**です。

身振り・手振りをおおげさにつけると、見た目が変化するだけでなく、「声」にも変化が起きます。

第3章で説明したとおり、声は声帯のみならず、横隔膜や腹筋、口腔や鼻腔など、全身を使って出すもの。なので、体を動かすと一本調子で話せなくなるのです。

これを体験してもらうために私が開催しているプレゼン講座では、淡々と話してしまう人に、「大きくジェスチャーをつけながら話していただく」という練習をしています。

すると、自分が強調したいポイントでは、自然にジェスチャーが大きくなります。ジェスチャーが大きくなると、それにつれて胸を張るような体勢になり、肺が広がって空気がゆったり吸えるようになります。

すると、吐く息が増えて、自然とよく響く声が出るようになります。

声に強弱と抑揚がついて、話す内容が聞き手に伝わりやすくなるのです。

また、心身相関から体を動かすことで、固まっていた心や感情までが活発に動き出します。

「この商品は本当に素晴らしいんです！」という手振りをすると、実際にその感情が自分の中でグッと高まるのです。

こんなふうにジェスチャーをつけながら話すことで、シャイな日本人がかけ

がちな「自制のブレーキ」が自然に外れます。

素晴らしいものを本当に素晴らしいという熱意を込めて伝えられる。だから説得力があり、相手の心を揺さぶるプレゼンやスピーチができるようになり、信頼を得られるわけです。

世界のトップ企業のCEOは、みんなジャスチャーをつけて話していますよね。

これは、聴衆の目を自身に集めるためのパフォーマンスでもありますが、ジェスチャーの力を借りて話者の感情を届けるためのテクニックでもあるのです。

身振り・手振りと声はリンクしています。

ジェスチャーを使って、ぜひ「自制のブレーキ」を外して感情豊かに伝えてください。

緊張をゆるめるコツ

過度の自制とともに、日本人がとらわれやすいのが「緊張」でしょう。

あなたもこんな方を見たことはありませんか?

冒頭で、「どうぞリラックスしながら最後までお聞きください」と言ってプレゼンを始めたものの、その本人がどう見てもすごく緊張している……。

顔は硬くこわばって、出る声はかすかに震えています。

声はときどきうわずったり、かすれたり。なんだか聞いているこちらまで、緊張してしまいますよね。

こんなふうに、**話し手が緊張すると聞き手はリラックスできません。無意識のうちに、話し手の緊張に共感してしまうからです。**

私たちの脳には、他人がしていることを自分のことのように感じさせる（共感させる）、「ミラーニューロン」という神経細胞があります。

この神経細胞のため、聞き手は話し手の「声」に影響を受けて、同じようにだんだん緊張していきます。

そう、緊張って伝染するんです。

このことに関連して、私が昔、アナウンサーになるための学校に通っていたときに言われたことを、まだ覚えています。

「人前に立つ人間は緊張するな。
見てくださる方が緊張してしまうから。
人前に立つ人間は恥ずかしがるな。
見てくださる方が恥ずかしくなってしまうから。
見てはいけないような気持ちになってしまうから」

本当にそのとおりだと、今も強く思います。
思わず目をそむけたくなるような人の言葉を、信頼なんてできませんよね。
だから、緊張しながら自信なさげな声を出す人の話は信頼されません。

●「咳払い」をする

では、緊張をほぐすにはどうすればいいでしょうか？
一番簡単な方法が、「咳払い」です。

話をする前に、軽く「えへん」とやるだけで、心臓のドキドキも震えも、不思議とスッとおさまります。

咳払いは本来、鼻、口から肺に空気を送り込む「気管」に入り込んだ異物を取り除くための行為。窒息の危険のある「誤嚥《ごえん》」を防いでくれるものです。

咳払いをすると、喉や気管などの体の緊張がいったんゆるみます。すると、気管に入り込んでいた異物が取れやすいように、咳払いを合図に体が自動調整してくれるため、自然と体がリラックスするのです。

喉もスッと開いて、緊張から出づらくなっていた声もラクに出るようになります。

●吐く息の長い深呼吸をする

また、**緊張解消のために心身のリズムを調整する**という方法もあります。

私たちは、体と心、両方にリズムをもっています。

実は、緊張するとこのふたつのリズムは速くなります。リラックスすると、逆に遅くなります。

たとえば人前に立ったときに、過度に緊張して困るという場合は、この緊張して速くなったリズムのスピードを下げると、緊張感が緩和され、心身がリラックスに向かうということです。


では、そのリズムとはなんなのか。

まずは、体のリズムについて説明します。

手首のところに指を当てて、脈をとってみてください。

ドクン、ドクン、ドクン……。

手首でとりにくい場合は、あごの下あたりの首元で脈をとってみてください。

脈を感じることができたら、そこに指を置いたまま、まずは息を吸ってください。

もうこれ以上吸うことができないというところまでいったら、今度はまだそこに指を置いたまま、息をゆ〜っくり「ふ〜〜〜〜」と吐いていってください。

ではもう一度やってみましょう。

指先で脈拍のスピードを感じながら、息を吸います。

これ以上吸えないというところまでいったら、また息をゆ〜っくり「ふ〜〜〜〜」と吐いていく。

ここで確認してほしいことがあります。

息を吸っているときと吐いているときでは、脈拍のスピードが変わるということです。

吸っているときに脈拍は速くなり、吐いているときに遅くなります。

なぜこうなるのかというと、**呼吸と自律神経が密接につながっている**からです。

自律神経は日中に人を覚醒状態にしたり、夜にはリラックスさせて眠りにいざなうなど、人間の生命維持にとても重要な役割をしています。

この自律神経には、交感神経と副交感神経のふたつの種類があります。

交感神経は心身を覚醒、緊張状態にします。副交感神経は心身をリラックス状態にします。

息を吸うと交感神経が優位になります。つまり、心身は覚醒し、緊張状態に向かうので脈拍は速くなります。

逆に、息を吐くと副交感神経が優位になります。というよりも、交感神経がブロックされて副交感神経のみになるので、当然、心身がリラックスし、落ち着いていくのです。

人前で緊張しているとき、「あー、ドキドキしてきたー!!」なんて言いますが、ドキドキとは心臓の鼓動が速くなるということです。

心臓の鼓動は脈拍に反映されるので、緊張すると脈拍が速くなります。

ということは、緊張したときは呼吸をする際にゆっくり息を吐くと心臓の鼓動のスピードが落ち着き、心も落ち着いていくということですね。

落ち着きたいときには深呼吸をしましょう、とはよく言ったもので、こういった理由があるのです。

ですが、「これから人前で話すので深呼吸をします」という方をよく見てみると、とにかく目一杯息を吸って、少ししか吐き出していない方のなんと多いこと。

これではリラックスするどころか、緊張感が増して、余計に頭の中を真っ白にしてしまいます。

人前で話す前に、**緊張解消のために深呼吸をする方法は有効ですが、その際**

には吸う息よりも吐く息を長くして、ゆっくりと吐き切ることが大切なポイントです。

緊張感を緩和させるためには、ゆったりと吐く息が長い深呼吸をしましょう。

●指先や手のひらでゆっくりリズムをとる

次に、心のリズムについて説明します。

自分の心のリズムを知るために、利き手の人差し指を使います。

では、またやってみましょう。

利き手の人差し指で、机の上をトントンと叩いてください。

トントンと叩き続けながら、こんなイメージをしてください。

あなたは午前の仕事を終え、ランチを食べようとパスタのお店に入りました。

メニューの中から食べたいものを選び、オーダーを済ませました。

ですが、10分、15分待っても、なかなか頼んだ料理が出てきません。

おかしいな？　と何気なく隣の席の人を見てみると、明らかに自分よりも後にオーダーしたはずの料理が運ばれてきています。

あれ？　お店の中を見回してみると、自分よりも後にオーダーした人に、やはりどんどん料理が運ばれてきています。

はっと腕時計を見ると、休憩時間が残り15分しかありません。

「えっ!?　もう時間切れじゃないか！」

さて、机をトントンと叩いている指の速さは、どうなりましたか？

叩く速さはどんどん速くなったと思います。

イライラしたり、プレッシャーを受けたり、緊張感が高まると、心のスピードは速くなるのです。

心の状態が指先に反映される。

ということは、**指先から心を誘導することができる**のです。

普段の自分の指先のスピードをだいたい知ったうえで、人前で話す機会がある方は指先のスピードの速さを確認してみてください。

立って腕を下に伸ばしたまま、手のひらで太ももの横を叩く方法でもかまいません。

緊張感が強ければ強いほど、スピードは速くなっていきます。

スピードがすごく速い！　やっぱりものすごく緊張しているぞ！　というときは、**叩いている指先や手のひらの速さを、徐々にゆっくりとしたスピードに落としていきましょう。**

気持ちがゆったりと落ち着いてくるはずです。

実は私たちは、本能的にこのリズムの速さを調整することが緊張感を下げること（感情の調整）につながることを知っています。

たとえば、大泣きしている赤ちゃんをあやしているお母さん。

赤ちゃんを泣きやませるために何をしているでしょうか？

赤ちゃんの背中をトントンと叩き、落ち着かせようとリズム調整をしていますね。

誰に教えられなくても、赤ちゃんの泣き方が激しければ激しいほど速く、赤ちゃんの背中をトントン叩いています。

それから徐々に叩くスピードをゆっくりと落としていきます。

そうすることで、赤ちゃんは次第に落ち着いて泣きやみます。

そう、私たちは指や手のひらなど、体が心のリズムとつながっていることを知っているんですね。

この方法を赤ちゃんにではなく、緊張している自分自身に使って落ち着かせればいいのです。


体と心のリズム調整を両方使うことで、過度な緊張をゆるめることができます。

人前に立って話す前に、大きくゆっくりと息を吐きながら、指先や手のひらのリズムを徐々に落としていってください。

これを3回くらい繰り返すと、過度な緊張がとれた状態で話し始められます。

ぜひお試しください。

相手に安心感を与える声は、豊かな呼吸から生まれる

「聞き手を安心させる声って、どうやったら出せますか？」

私が主宰している話し方の講座にいらした、ヨガ講師の女性からの質問です。

その方から、最近はヨガで誘導瞑想のようなことをするケースが多いとお聞きしました。

聞き手をゆったりとした瞑想状態へと導くためには、確かにリラックスした安心感のある声のガイドが必要です。

なぜなら、人間にはミラーニューロンという神経細胞があるため、たとえば呼吸の浅い苦しそうな声を耳にすると、聞き手にもその息苦しさが移ってしまうからです。

そんな声でガイドをされても、なんだか不安になってしまいますよね。

声で安心感を出すために必要なのは、豊かな呼吸です。

呼吸が豊かだと、喉も開きやすくなって、声のトーンも伸びやかになります。声に息苦しさがなくなるのです。

印象としては、ゆったりとした余裕がある雰囲気です。

呼吸が豊かになり、喉を開きやすくするための**コツは「あくび」**です。

あくびをするときは喉が大きく開きますよね。

カウンセリングやセラピー、コーチングやコールセンターなど、対面や電話での仕事をされている方は、ぜひこのエクササイズを行ってからクライアントさんと接してあげてください。

声のトーンだけでも目の前にいる人を落ち着かせ、癒やすことができるようになります。

セラピーやリラクゼーションなどの仕事をされている方に、ぜひ知っておいていただきたいのが**「倍音」**についてです。

倍音とは、簡単に言えば**いくつかの音が混じった複合音**のこと。混じっている音同士の相性がよく、耳に安定した響きをもたらすのが倍音の特徴です。

たとえば、楽器の「ド」の音と、そのひとつ高い音階の「ド」は倍音関係です。同時に弾いても、耳に違和感なくすんなり響きますよね。

この倍音が多く含まれている音は、輪郭がはっきりしていて明るく、よく通る傾向があります。

そのため、**人は倍音が多く含まれている声を好む**傾向があるようです。

倍音が含まれた音を聞くと、聞き手の脳波には深い瞑想状態にあるときによく現れるシータ波が出やすいといわれています。つまり、非常にリラックスした状態で、うっとりとした状態に浸れるのです。

実は、イルカの鳴き声には「高周波倍音」が含まれていて、実際に鳴き声を聞くと癒やされることがわかっています。

もちろん、人の声にも倍音が含まれています。

そうした人の声は、聞き手にホッとする安らぎをもたらしてくれます。

声にたくさんの倍音が含まれているのは、芸能人でいうと、森本レオさんや玉置浩二さんの声です。どちらも温かくて安心感があり、いつまでも聞いていたくなるような声ですね。

倍音を意図的に声に含ませるには、吐く息の量を多くして、ちょっとため息のようにもとれる声を出すことがポイントです。

ぜひ試してみてくださいね。

「吐く息」で声の印象は変えられる

「私、なんだか怖い印象をもたれるんです」
「そんなつもりはないのに、相手に威圧感を与えているようなんです」

こんなお悩みをもつ方もいらっしゃいます。

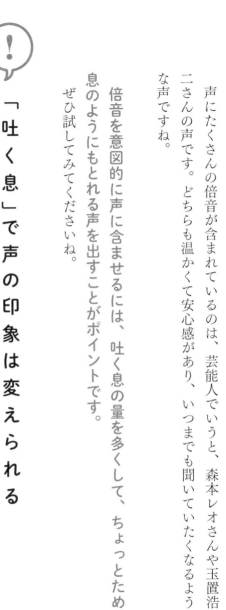

そんな方とお会いしてお話しをしてみると、たいてい声の圧力や語尾の音が強く、言葉の使い方も単刀直入で、ズバリと言い切られる傾向があります。

ご本人は「そんなつもりではない」のかもしれませんが、相手から「なんだか怖い人だな。あまり近寄らないでおこう」と思われてしまい、敬遠されがちに。

会話をすると本当に優しくていい方なのに、「声で損をされているなぁ」と思います。

「声の圧力が強い」というのは、吐く息に勢いがありすぎるということです。

だとすれば、怖い印象をやわらげるためには、声の圧力を弱めればいいということになります。

強く伝えるべきときには、吐く息を強く。

そうでない場面では、吐く息を優しく穏やかに。

この感覚を身につけることで、自由自在に声の印象を強めたり弱めたりできるようになります。

オンライン会話のポイント

昨今はZoomやSkypeなど、オンラインでのコミュニケーションが増えてきました。

オンラインでのミーティングやセミナー、そして動画を撮って伝える機会が増えています。

オンラインと動画で話をされている方の声を聞いていて、よく感じることがあります。

「なんだかボソボソと小さな声で話をされていて、自信がなさそうに思えてしまう」ということです。

オンラインでも対面同様、まずは感動ヴォイスを使って堂々と話すことが大切です。

オンラインで会話をするときの落とし穴として、目の前のパソコンやスマホに相手の顔が映るため、すぐそこに相手がいるような感覚になって話をしがちです。

ですが実際には、自分の声はパソコンやスマホの機械の音声入力部分から声が拾われて電波に乗り、相手のパソコンやスマホの音声出力部分に声が届いているわけです。

物理的にも、自分と相手との間には距離があります。

目の前に相手がいる通常のリアルな状態と同じような感覚で声を出していると、どうしても声が小さくなって通らなくなり、弱々しい印象になってしまいます。

これを解決するためには、**オンラインで会話をするときには、はっきりとした大きな声で話をすることです**。

オンラインの場合、通常は相手の顔が見えている状態で話をすることが多いと思うので、その**相手の頭の上を越えるような意識で声を出して話すことを意識してください**。

そうすると、はっきりとした声が相手に届きます。

また、動画を通じて伝えていらっしゃる方を拝見していると、目線が弱くぼんやりとした表情で、声も一本調子で淡々と話されている方が多い印象です。

これは、目の前に人がいない状態で話をしているため、聞き手のことを意識できておらず、感情が乗らない声や話し方になってしまっているのです。

まずは、**「カメラの向こうに聞き手がいる」という意識をしっかりもって、カメラを見て話す**ことが大事です。

私はコールセンターのオペレーターの方を対象とするコミュニケーション研修なども実施してきましたが、このときにも「電話で話すときには、対面で話すときよりも倍くらい大きく抑揚をつけて、感情を込めて話してください」と伝えています。

対面で話すときには、表情など視覚的な要素を使って伝えることもできますが、**電話は音声だけの世界ですので、視覚要素を使えません。**

声のトーンにしっかりと感情を乗せないと、相手に気持ちが伝わりにくいので、感情豊かに抑揚をつけて話すことが重要です。

「何気ない笑顔」こそ、コミュニケーションの基本

ここまで、感動ヴォイスを使いこなすためのテクニックを紹介してきました。

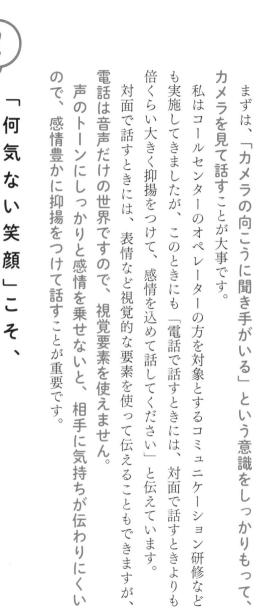

あなたが臨むシーンに必要な声のテクニックをしっかり身につけて、存分に活用してください。


……とその前に、ぜひチェックしていただきたいポイントがあります。

あなたは、話しているときの自分がどんな表情をしているか、知っていますか？

私はこれまで、講座やセミナー、企業研修などでたくさんの方にプレゼンをしていただき、その様子をビデオに撮って受講者自身に見ていただくということを数多く行ってきました。

ちなみに、私が「お話しいただいているところをビデオに撮りましょう」と言うと、受講者の方々はほぼ毎回苦い表情をされて、「え〜、やめてください〜」とおっしゃいます。

みなさん、なんとなく嫌な予想をされるようです（笑）。

その後、ビデオで自分の姿を見て、一番よく出てくる感想が、

「あれ、私、笑ってないですね？」

というもの。

自分では微笑んで話をしていたつもりでも、ビデオで見てみると笑っていない。つまり、**自分が思っている姿と、相手が見ている姿にはギャップがある**ということです。

中には「私、なんでこんなに怖い顔でしゃべってるの？」と自分でびっくりなさる方もいらっしゃいます。

会話の最中に笑顔がないのは、実際のところ、ものすごく損です。

ある研究では、**「会話中の何気ない笑顔に、情報の受発信のスピード、容量、親和性を一変させる効果がある」**ということもわかっています。

これは、相手に笑顔で伝えることで、情報が素早く、そしてたくさん伝わり、聞き手との心の距離感がグッと近づくということです。

もちろん、話す内容や相手、状況に合った表情で話す・伝えるということがもっとも大切ではありますが、「好印象で親しみやすく、聞き手にとって話を受け入れやすい表情」となると、やはり**基本は笑顔**です。

表情はまさにコミュニケーションの入り口。

言葉を発していなくても、笑顔は「Ｗｅｌｃｏｍｅ」のメッセージですし、極端にいえば、仏頂面は「Ｎｏ」のメッセージ。人を遠ざけてしまいます。

ですから、聞き手に心を開いて聞いてもらおう、しっかりと理解してもらおうと思うなら、自分に笑顔があるかどうかをまずチェックしてください。

笑顔のつもり、ではなく、客観的に笑顔であるということが大切です。

あなたが話しているところをぜひ動画で撮って、自分で見てみてください。

そして、日ごろから感情豊かに表情筋を動かして、話をしてください。

それが、自分の伝えたいことがすんなり伝わるという結果につながります。

第5章

相手の心をつかむ伝え方

あの人の話は、なぜこんなに伝わらないのか？

本書の最後となるこの章では、相手の心をつかむ「伝え方」について紹介していきたいと思います。

感動ヴォイスで惹きつけた人々の心を離さないためには、相手にすんなり理解してもらえる言葉選びや話し方が重要です。

つまり、「わかりやすい」ということですね。

でも、ほとんどの人が「わかりやすく伝える」ことができていません。

ほとんどの人ができていないのですから、これができるようになるだけで、あなたの仕事や人間関係の株はグン！　と上がるということ。

それでは、相手にわかりやすく伝えるためのポイントをお伝えしていきましょう。

初対面の方とお会いした際に、真っ先にするのが自己紹介ですね。

仕事でも、プライベートでも、初めての方にお会いするときは、必ずと言っていいほど自己紹介をします。

あなたもこれまで、何百回、何千回と自己紹介をしてきたのではないでしょうか。

もちろん私のセミナーでも、必ずはじめに受講者のみなさんに自己紹介をしていただきます。

そんな中、私がとても多いと感じている自己紹介が次のようなものです。

はじめまして、〇〇〇〇と申します。

えっと、私は今日、ＪＲと地下鉄を乗り継いで、40分くらいかけてここまで来ました。

マッサージの仕事を、そうですね、もう本当に長くやっていまして、こんなに普及するずいぶん前から、いろんなところに人間の体の仕組みについての勉強をしに行ったりしていて、筋膜の癒着についてはとにかくたくさん調べて、施術もしていまして、誰にも負けないくらいの強みなんですけれども、大人数の講演会とかにも呼ばれて話をしたりということも最近していて、仕事の幅が広がってきたなーっていうふうに思っています。

今日はさらに活動の幅を……どうぞよろしくお願いいたします。


いかがでしょう？

なんだか話の内容がごちゃごちゃしていて、何が言いたいのか、わかりづらいと思いませんか。

ちなみに、第一印象は出会って最初の3～5秒で決まり、その印象は、その後約7年続くともいわれています。

ですから、出会ってはじめにする自己紹介で、相手にネガティブな印象を与えてしまうと、その後約7年間、あなたはネガティブな印象をぬぐえないということになります。

ものすごく怖いですよね。

ところで、この自己紹介、どこに問題があるのか、もうおわかりですね？

問題点は4つ。

ひとつめは、**一文が長い**ことです。ダラダラと続いてどこで切れるかわからない話は、聞き手が情報を整理できなくなります。つまり、理解できないということです。

ふたつめは、**使われている表現が非常に抽象的**です。たとえば、「マッサージの仕事を、そうですね、もう本当に長くやっていまして」の「長く」とは、具体的にどれぐらいでしょうか。5年？　10年？　それとも20年？　この尺度は聞き手によってバラバラです。抽象的な表現をすると、それぞれのフィーリングで解釈します。

3つめは、**業界の専門用語を使っている**ことです。「筋膜の癒着」という専門用語は業界以外の方にはわからない場合が多いもの。わからない話をされるのは、聞き手にとってはストレスです。

そして4つめは、**聞き手にとって不要な情報が盛り込まれている**ことです。たとえば、交通関係や乗り物オタクの方でなければ、会場に来るまでの時間や交通手段に興味はないでしょう。「えっと」「そうですね」などの言い淀みも余計です。

意識のベクトルは聞き手に向ける

さて、ここまでの問題点を見て、気づいたことはありませんか？

それは、**この自己紹介には「聞き手が不在」**であるということです。

どういうことかというと、「聞き手が何を知りたいか」「どう話せばわかりやすいか」「どういう話し方をすれば興味をもってくれるか」という、聞き手への配慮がないまま一方的に話しています。聞き手の存在が無視されているのです。

なぜ、こんなにも聞き手を無視して話してしまうのか。

それは、**話し手の意識のベクトルが、すべて「自分」に向いているから**です。

私はこれまで、主宰する話し方講座や企業研修などで、本当にたくさんの方の自己紹介を聞いてきました。そこでは、ほとんどの方が「私はこんなにすごい」「私はこんな資格をもっている」と自分のことばかりを話されます。

でも、聞き手からすると、「あなたについての話はもういいですよ、お腹いっぱいです」とげんなりしてしまいます。

休日の気の合う友だちとのおしゃべりなら、それもいいでしょう。

ですが、初対面の相手の心をつかむには、これは絶対にNGです。


人は誰でも、自分に一番興味があります。

それは聞き手も同じこと。


だから、あなたが発信する情報が、自分にとってわかりやすいものか、興味深いものなのか、メリットがあるものなのか。聞き手としては、そこに関心があるのです。

ですから、情報を発信するときは、そうした点に注意する必要があります。


そもそも、コミュニケーションは発信者と受信者で成り立ちます。

一方的に発信するのは、コミュニケーションとはいえません。

聞き手に受け取ってもらいやすい伝え方をして、はじめて成り立つのがコミュニケーション。つまり、**聞き手のことを考えて情報発信するのが基本**なのです。

受信者のことを常に考えて発信しなければ、いくら感動ヴォイスで人を惹きつけても、やがて見向きもされなくなってしまいます。

人前で話すときの5つのポイント

では、どうすれば聞き手にすんなりと受け取ってもらえる話し方ができるのでしょうか？

それは、「聞き手にとってのわかりやすさ」を意識することです。

ポイントは5つあります。

① 一文は短く話す

一文が長い文章は、聞き手の思考に切れ間を与えません。そのため、何が言いたいのかがわかりづらくなります。ですから、長い文章はなるべく句点（文末につける「。」）で区切り、一文をできるだけ短くします。話をする際は、そこで「間」を入れることを意識しましょう。

✕

マッサージの仕事を、そうですね、もう本当に長くやっていまして、こんなに普及するずいぶん前から、いろんなところに人間の体の仕組みについての勉強をしに行ったりしていて……

○

← マッサージの仕事を、もう本当に長くやっています。こんなに普及するずいぶん前から行っています。いろんなところに人間の体の仕組みについての勉強をしに行きました。

こんな具合です。

句点を打つ場所は、接続する語でつなげる場所です。話していると「〜して、〜ですが」など文章をつなぐ接続する語を入れたくなりますが、ここで句点を打ちましょう。そうすることで、ひとつの文章にひとつの事柄だけを書く、「一文一義」の文章にすることができます。

② 抽象表現は具体的にする

抽象的な表現が多いと具体性に欠けるため、説得力がありません。

また、聞き手によって解釈が異なるため、「聞いていた話と違う」などとトラブルの元になりがちです。

抽象表現を具体的にするだけで、聞き手にとってはイメージしやすく説得力のある文章になります。

×

マッサージの仕事を、もう本当に長くやっていまして、こんなに普及するずいぶん前から、いろんなところに人間の体の仕組みについての勉強をしに行ったりしていて……

↓

○

マッサージの仕事を約20年やっていまして、養成学校やプロが主宰する勉強会などに、人間の体の仕組みについての勉強をしに行ったりしていて……

このように、抽象的な表現をしている箇所を、数字や具体名に置き換えることで、聞き手はラクにイメージできるようになります。

③ 専門用語は使わない

聞き手にわかりにくいと思われる箇所は、嚙み砕いて説明したり、補足説明を加えたりします。自分の当たり前は相手の当たり前ではないことを常に意識しましょう。

× 筋膜の癒着についてはとにかくたくさん調べて……

○ 肩こりや首こりの原因になる筋膜の癒着についてはとにかくたくさん調べて……

④ 不要な情報は入れない

聞き手にとって不要な情報はカットします。それだけでも話はずっとわかりやすく、伝わりやすくなります。

× えっと、私は今日、JRと地下鉄を乗り継いで、40分くらいかけてここまで来ました。

マッサージの仕事を、そうですね、もう本当に長くやっていまして、こんなに普及するずいぶん前から、いろんなところに人間の体の仕組みについての勉強をしに行ったりしていて……

○

←私はマッサージの仕事を長くやっています。いろんなところに人間の体の仕組みについての勉強をしに行ったりしていて……

⑤ 語尾までしっかり話す

「最後まで言わなくてもニュアンスでわかるだろう」と考えて、語尾を言い切らずにぼかしてしまうと、何が言いたいかわかりづらく、無責任な印象を与えることもあります。ですから、語尾は最後までしっかり話しましょう。

×

仕事の幅が広がってきたなーっていうふうに思っています。

←今日はさらに活動の幅を……どうぞよろしくお願いいたします。

仕事の幅が広がってきたなーっていうふうに思っています。今日はさらに活動の幅を広げるために学びにきました。どうぞよろしくお願いいたします。

ここまで紹介した5つのポイントを使って自己紹介をすると、次のようになります。

はじめまして、○○○○と申します。

私はマッサージの仕事を約20年やっています。養成学校やプロが主宰する勉強会などに、人間の体の仕組みについての勉強をしに行ったりもしています。肩こりや首こりの原因となる筋膜の癒着についてはとにかくたくさん調べて、施術もしています。その点は、誰にも負けない強みです。

最近では、数百人が集まる講演会にも呼ばれて、マッサージの話をすることもあります。仕事の幅が広がってきたなと思っています。

今日はさらに活動の幅を広げるために学びにきました。

どうぞよろしくお願いいたします。

ずいぶんスッキリとして、わかりやすくなったのではないでしょうか。

こんなふうにポイントに沿って話を整理するには、あらかじめ自分の話す内容を書き出してチェックしておくといいでしょう。

「えっ、そんなめんどくさいことを……」という声が聞こえてきそうですが、5つのポイントが身につくまでは、そうすることをおすすめします。

なぜなら、**書き出して推敲することで、自分の情報発信のクセがわかる**からです。

自分の発信する情報には何が足りないのか、逆に、何が余計なのか。そこがわかってくると、情報発信がどんどんスムーズになって、聞き手に理解してもらいやすくなります。

決まった時間内では、情報量が少なければ少ないほど伝わりやすいものです。

ですから、話す前に、できるだけ話す内容を推敲して、情報量を絞ってから話し始めましょう。

話す順番を意識する

もうひとつ、意識していただきたいのが、「話す順番」です。
まず、次のAとBを読み比べてみてください。

A

伊勢神宮は、晴れた早朝の参拝では、参道の玉砂利を踏む音と、木立の間から聞こえる鳥のさえずりなどに心が浄化されていきますが、日本三大神宮のひとつに数えられていて、大小さまざまな125社から成る神社です。

鳥羽水族館は、セイウチパフォーマンス笑（ショー）ではセイウチの頭のよさ、かわいらしさに癒やされますが、約1200種もの生きものを飼育する、飼育種類数が日本一の水族館です。

御在所ロープウエイからは、琵琶湖や鈴鹿山脈を眺めることができますが、鉄塔の高さが日本一で61メートルなので、山頂に到着したら、ぜひ大自然の美しいパノラマを楽しんでください。

B

三重県内のおすすめ観光スポットを3つご紹介します。

ひとつめは、伊勢神宮です。伊勢神宮は日本三大神宮のひとつに数えられていて、大小さまざまな125社から成る神社です。

特におすすめなのが晴れた早朝の参拝です。参道の玉砂利を踏む音と、木立の間から聞こえる鳥のさえずりなどに心が浄化されていきます。

ふたつめは、鳥羽水族館です。

鳥羽水族館は約1200種もの生きものを飼育する、飼育種類数が日本一の水族館です。

ここで必見なのがセイウチパフォーマンスです。セイウチの頭のよさ、かわいらしさに癒やされます。

3つめは、御在所ロープウエイです。御在所ロープウエイは鉄塔の高さが日本一で61メートルあります。山頂に到着したら、ぜひ大自然の美しいパノラマを楽しんでください。琵琶湖や鈴鹿山脈の素晴らしい景色を眺めることができます。

さて、どちらの文章がすんなり頭に入ってきましたか？

どちらも書いてある内容はほぼ同じですが、言わずもがな、わかりやすいのはBですね。

なぜでしょうか？

ポイントはふたつあります。


ひとつは**一文が短い**ということ。それによって各文章の意味がとりやすくなります。

また、冒頭で「おすすめ観光スポットを3つご紹介します」と全体像を伝えることで、聞き手はこれからなんの話をされるのかを先にわかったうえで話を聞いてくれるようになります。それが聞き手の理解を促進することにつながります。

逆に、Aのように全体像を伝えずに話し始めると、なんの話がどこまで続くのかわからないため、聞き手からすると「この話、一体どこに向かっているの？　いつ終わるの？」とモヤモヤしてしまいます。聞くことがつらくなっていくのです。

もうひとつは、Bが**「事実→主観の順番で伝えている」**ということ。

たとえば伊勢神宮の話であれば、「日本三大神宮のひとつに数えられていて、大小さまざまな125社から成る神社」というのは、客観的な事実です。

先にこうした事実を述べてから、「特におすすめなのが晴れた早朝の参拝です。参道の玉砂利を踏む音と、木立の間から聞こえる鳥のさえずりなどに心が浄化されていきます」という個人的な主観を述べています。

客観的な事実から話すことで、後に続く主観にも説得力が出ます。

Bのように、情報を整理して話す順番を意識するだけで、聞き手にとってわかりやすい情報発信ができるようになります。

ちなみに、**「3」という数字は「マジックナンバー3」といわれる、人の記憶に残りやすい数字**です。

石の上にも三年、三度目の正直、二度あることは三度ある、三日坊主、三拍子揃う……「三」がつく慣用句はとにかくたくさんありますが、こうした事実も「3」がマジックナンバーたるゆえんでしょう。

また、人間の脳は一度に4つ以上のことを覚えにくいといわれています。

ですから、**情報を発信するときには「3つにまとめる」ことを意識すると、**聞き手に届きやすくなりますよ。

聞き手に「イエス」と言わせる三角ロジック

そもそも私たちは、なんのために声や文章を使って情報を発信するのでしょう？

多くの場合、あなたの主張を相手に伝えることで、共感や賛同を得るためではないでしょうか。

特にビジネスの場合、相手にこちらの主張を理解してもらい、「イエス」と賛同してもらうことが重要になります。

となると、その主張に納得してもらえるような話の流れで伝える必要があるのです。

しかし、わかりにくい話をする人の場合、情報過多で主張とは関係ない話がたくさん盛り込まれています。

しかも、聞き手が納得するような、論理的な説明がないことが多くあります。それでは賛同を得られませんよね。

たとえば、次の内容を読んでみてください。

疲れた日は納豆を食べるといいよ。

まあ、ネバネバが苦手だっていう人もいるよね〜。でも疲労回復効果があるらしいし、納豆って日本の食べ物だけど、海外でも好きな人は好きだよね。

あ、最近は関西でも人気が出てきたらしいよ、スーパーで売り切れることもあるんだって！

そうそう、ひきわり納豆とかもあるよね。

ずっと座って、パソコン作業で疲れた日は、納豆を食べてみるといいよ。

いかがでしょうか？

話し手としては、最後の「疲れた日は、納豆を食べてみるといいよ」という主張に関して、聞き手に賛同してほしいわけです。

ですが、聞き手からすると、「なぜ納豆が疲れにいいのか」がよくわかりません。かろうじて「疲労回復効果があるらしい」とは言っていますが、その後に不必要な情報が続くので、話を聞いているうちに疲労回復効果のことを忘れてしまいます。

このように、とにかく自分の知っている情報を思いつきで言葉にして、自分がしゃべりたいようにしゃべると、聞き手を説得して賛同を得ることができません。

では、どうすれば聞き手があなたの主張に賛同するような話の流れをつくることができるのでしょうか？

こういうときは、**「三角ロジック」**を使いましょう。

三角ロジックは、ロジカルシンキングに欠かせないスキルです。

・データ……主張を裏づける事実やデータ

三角ロジック

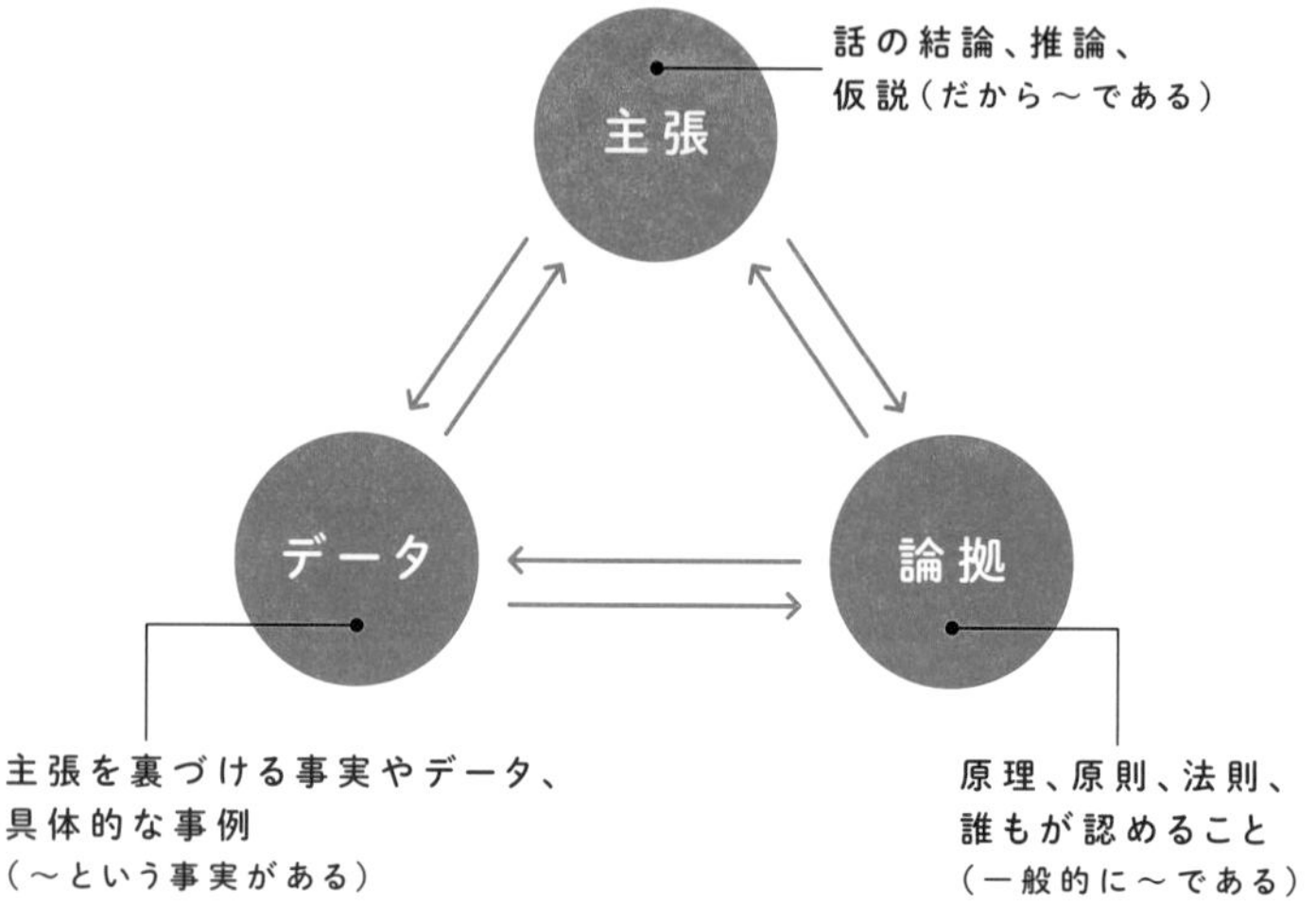

・論拠……一般的な事実。原理、原則、
法則

・主張……話し手が主張したいこと。
データと論拠から導かれた
結論

の3つから成るフレームワークです。

この三角ロジックを使って、先ほどの「疲れた日は、納豆を食べてみるといいよ」という主張に導くなら、次のように当てはめることができます。

・データ……納豆にはビタミンB_1がたくさん含まれている

・論拠……ビタミンB_1には疲労回復効

果があるとされている

・主張……疲れた日は納豆を食べるといい

この三角ロジックを活かしてまとめると、次のようになります。

納豆にはビタミンB_1がたくさん含まれているんだけど、これが疲労回復にとても効果的なんだって。だから、ずっと座っているパソコン作業で疲れた日は、納豆を食べてみるといいよ。

このように話されたら、「なるほど！　じゃあ、今日は納豆を食べてみよう」と納得して賛同できるのではないでしょうか。

大事なのは、主張を裏づける客観的なデータと論拠を交えて簡潔に話すこと。

この点を意識するだけで、わかりやすさも、説得力も桁違いに増して、あなたの話は聞き手に伝わりやすくなります。

東京ドームに髪の毛がポツンと1本……

あなたの話の説得力が増すポイントを、もうひとつお教えしましょう。

それは、**聞き手にとってなじみ深いビジュアルを用いた比喩を活用すること**です。


たとえば、私が半導体メーカーで投資家向けの広報（IR= Investor Relations）をしていたときのことです。その仕事では、投資関連の方々にお集まりいただき、全国で会社説明会を開催していました。

投資関連のほとんどの方は、特に半導体に詳しいというわけではありません。

そのような方々に、電子機器の中に入っていて直接目に触れることがない半導体の魅力について伝えなければなりません。そして、理解して納得いただき、ファンになってもらい、投資につなげていただく必要があります。

でも、「半導体はほとんどホコリのない建物、クリーンルームでつくっているのですが、私どものクリーンルームはクラス100を実現いたしました。クラス100とは、1立方センチの中に1ミクロンのゴミがひとつ存在しているような状態です」といっても、聞き手はピンときません。頭の中が？？？だらけでしょう。

立方センチもミクロンも、聞いたことはあっても、日常で体感することはありませんよね。なじみのない単位なので、それがどれだけすごいのか、よくイメージできないのです。

そこで、説明会では次のように言い換えてお伝えしました。

「私どものクリーンルームはクラス100を実現いたしました。クラス100とは、1立方センチの中に1ミクロンのゴミがひとつ存在しているような状態です。これは、**東京ドームの中に髪の毛がポツンと1本落ちているようなもの**なのです」

こんなふうに、聞き手がイメージできるビジュアル（＝東京ドーム、髪の毛1本）を使った比喩を用いることで、「なるほど、それはすごいね！」と納得していただくことができます。その後はみなさんが興味をもって話を聞いてくださいました。

ちなみに、情報は耳だけで聞いた場合、3日後に覚えているのは全体の約10％。そこに画像を加えると約65％に跳ね上がり、6倍ほど記憶しやすくなるそうです。

脳はノンフィクションとフィクションを区別できないといわれていて、**実際に目で見た画像も、脳内にイメージした画像も、本人にとっては同じようなインパクトをもたらします。**

ですから、聞き手にとってなじみのあるビジュアルの比喩を用いて、頭の中に強烈なインパクトを残すことができれば、しっかりと心をつかむことができるのです。

相手に同調すると親密さが増す

結局のところ、わかりやすい伝え方とは、いかに聞き手を思いやれるかということです。

聞き手の立場に立てる「客観性」。

それこそが、わかりやすい伝え方をするために必要な視点です。

この「客観性」を活用して、聞き手の心をつかむテクニックもあります。

「ミラーリング」という言葉を聞いたことがありますか？

カフェやレストランなどに入ったとき、周りを見回して、カップルや仲良しの女性グループを観察していただくと、しぐさや表情、体や顔を傾ける角度が似ていることに気がつくと思います。

たとえば、一人がコーヒーカップに口をつけると、一緒にいる人もコーヒーカップに口をつけるとか、一人が足を組むと、もう一人も足を組む。

このような行動は、仲がよければよいほどひんぱんに行われます。この「仲がいい人に似てくる」というのは、実は人間の本能です。好意を抱く人と同じ世界に入っていきたい、一体化したいという同調行動なんですね。

このように、相手の言動を無意識のうちに鏡のように映し出すのが、心理学でいうところのミラーリングです。

このミラーリングを利用してコミュニケーションをとると、相手は知らず知らずのうちに親近感を抱いてくれます。

たとえば、相手がやや頭を傾けて話しているなら、あなたも同じ方向にやや頭を傾けて話す。あるいは、声のボリュームを相手に合わせる、話し方のテンポを相手に合わせる、という感じです。

客観的に見て、「同じ」行動をあえてとるわけです。

人は、自分と同じテンポで話す人のことを「できる」と思う傾向がありますが、それはおそらく、このミラーリングのせいではないかと思います。

あるいは、会話で相手との具体的な共通点を探っていくのもおすすめです。

先日、あるところで会った女性と話していると、お互い京都出身ということがわかりました。

「え〜、京都出身なんですか！」

「私、桂に住んでいたんです」

「ほんまかいな！　すごく家が近い〜。私は桂の隣の駅です、西京極〜！」

出身地が同じだとわかったとたん、急に地域ネタで話が弾みました。

あなたにも、きっと同じような経験があるのではないでしょうか。

私たちは自分に似ている人を好きになるようにできています。似ている点を見つけたら、積極的にコミュニケーションに取り入れましょう。

親密さが生まれて、話が一気に進みやすくなるはずです。

相手がその気になる伝え方

たとえば、あなたがイベント設営の準備をしているとき。

あなたが忙しくしているのに気づいているのかいないのか、誰も手を貸してくれません。

このまま自分一人で作業していては時間がかかるし、あまりにも大変だし……手伝ってほしい！

さて、こんな状況のとき、あなたならどちらの言い方で周りの人に応援を頼みますか？

A．「なんで手伝わないの？　手伝ってよ！」
B．「手伝ってくれたら、すごく助かる！」

ふたつのセリフをお読みいただくとよくわかると思いますが、両方とも「手伝って」という趣旨のことを言っているのに、受ける印象がまったく違いますね。

Aは言われた側はなんだか責められているような、怒られているような気になります。また、命令されているような気がして、なんだか不快です。

一方、Bは責められたり怒られたりといった印象にはなりません。命令でなく、お願いという感じがしますよね。

この違いは、どこから生まれるのでしょうか？

実は、ふたつの文は主語が違います。

日本語は主語を省略して話されることが多い言語ですが、省略されている主語を補うと、こうなります。

A.「なんであなたは手伝わないの？　手伝ってよ！」
B.「手伝ってくれたら、私、すごく助かる！」

何かをお願いする際に、Aのように主語を「あなた」にしてしまうと、「あなたがやるべきだ」という意味になり、メッセージを受け取る側は命令されているような、責められているような、嫌な気分になります。

こんな言い方をされた人が手伝ってくれるとしても、しかたなく嫌々やる……という感じでしょう。

でも、Bのように主語を「私」にすると、話者は単に自分の素直な気持ちを話しているだけなので、受け手にはどんなプレッシャーもかかりません。そのうえで、

「○○してもらえたら、私は助かる」
「○○してもらえたら、私はうれしい」
「○○してもらえたら、私は安心できる」

など、自分のポジティブな感情をメッセージに込めると、相手は「そうか、この人

が喜ぶならやってあげよう」と自発的に動いてくれるようになるのです。

お願いごとをするときは、主語を「あなた」ではなく「私」で伝える。

それだけで相手の心に抵抗を呼び起こすことなく、すんなりとあなたの要望を届けられるようになります。

言い方ひとつで相手をその気にさせ、相手が「あなたのために行動してあげたい」と自然に思ってくれるようになるのです。

サンドイッチ話法で相手にマイナス要素を伝える

コミュニケーションで非常に難しいのは、聞き手にとって耳が痛い話を伝えなければいけないときではないでしょうか。

言われたほうはたいてい嫌な気持ちになりますから、それがわかっていて伝えるほうはなんとも気が重いものです。

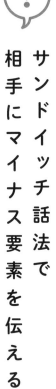

しかし、聞き手の今後の成長を願うなら、これは避けては通れません。

聞き手にとってネガティブな内容だけど、しっかりと受け止めてほしい。

そんなときに、**聞き手に嫌な思いをさせず、ネガティブなメッセージを届ける方法が「サンドイッチ話法」**です。

パンに具材を挟んで食べるサンドイッチのように、ネガティブなことをポジティブな話の間に挟んで伝えるのです。


たとえば、私がプレゼンについてのフィードバックをするときは、次のようにサンドイッチ話法を使います。


【ポジティブ要素】

〇〇さんの伝え方は、論理的な文章構成ですごくわかりやすかったです。

【ネガティブ要素】

そうですね、もう少しアイコンタクトがあるとよかったかもしれません。アイコンタクトをもっとしっかりとられると、「伝えたい！」という想いまで相手に届けることができると思います。

【ポジティブ要素】

いやぁ、それにしても、話の内容が論理的に整理されていて、すごくわかりやすかったです！

こんなふうにポジティブのパンでネガティブの具を挟んでから差し出すと、「あ〜、おいしいですねぇ！」とマイナスの具もすんなりとお腹の中に入れてもらえます。

この話法をご存じない方同士で、企業研修などでフィードバックし合っていただくと、たいていこんな指摘が飛びかいます。

「えっと〜、できていない点は〜」

「ん〜、悪いところは〜」

そうすると、受け手はしょんぼりしてしまったり、カチンときたり、ネガティブな感情になりやすく、その結果、素直に指摘を受け入れられなくなってしまうことがあります。

また、一度心を閉じてしまうと、次にポジティブなコメントでトントンと心の扉をノックしても、なかなか開かないものです。

やはり人は、認めてもらったり、褒めてもらったりするとうれしいもの。

サンドイッチ話法でポジティブから始めることで、聞き手の心が開きます。

自分を認めてもらえたうれしさで心が開いていると、ネガティブなコメントも受け入れやすくなります。

ちなみに、コミュニケーションのどの部分が一番人の記憶に残りやすいのかという研究結果があります。

これによると、一番残りやすいのはコミュニケーションをとった最後の部分。

そして、二番めに残りやすいのが最初の部分でした。

あなたのメッセージを相手に気持ちよく受け止めてもらうために、サンドイッチ話法をぜひ覚えておいてくださいね。

練習なくして成果なし

さて、この本のはじめからここまで、感動ヴォイスのエクササイズ、そして話し方などについてお伝えしてきました。

相手の心を揺さぶる声の出し方のポイントや、仕事や人間関係で好印象かつわかりやすい伝え方のコツなど、具体的にイメージできるようになったのではないでしょうか。

最後に、あなたにお願いしたいのが、**この本は「ふ〜、読み終わった。明日からやってみよう」ではなく、今すぐ実践してください**ということです。

読みながら、どこか一箇所でも実践してくださった方ならおわかりいただけると思いますが、実践するとすぐに、「ホントに背筋を伸ばして立つだけで気持ちがシャキッとするんだ」とか、「豊かに呼吸して、吐く息に声を乗せるだけで声の響きが変わった」ということを、その場で実感できたはずです。

この「本当に声ってすぐに変えられるんだ！」と、あなた自身で実感していただくことがなにより重要だと思っています。

「自分には、自分だけの魅力的な声がある」

そのことを実感できれば、その瞬間から、自分に少しでも自信がもてるようになり、生きていくのが楽しくなるからです。

第3章で紹介した基本のトレーニングや声のお悩み別トレーニングなどは、効果をすぐに体感しやすいので、まだ実践していない方は今すぐやってみてください。

何度か実践していただくことで、いざというときすぐに使えるようになります。気になる箇所だけでかまいませんので、ぜひ繰り返し練習してみてください。

「実践してみたけど、今ひとつこれまでと声に違いが出なかった」という方は、動画を見ながらやっていただくことをおすすめします。

違いが体感できたら、その違いが定着するまで定期的に練習しましょう。

一度定着すれば、その後は意識的に感動ヴォイスを基本とした声のテクニックを使いこなせるようになります。

変化自体はすぐに体感できますが、それを確実にあなたのものにするには、練習あるのみ！

練習なくして、成果なし。

でも、その**練習こそが、あなたの明日を明るく、大きく変えてくれる**はずです。

おわりに

最後までこの本を読んでくださり、ありがとうございます。
ぜひ本書をご活用いただいて、自分の本当の声を取り戻し、人生を変えていただければ、これ以上の喜びはありません。

現在、私がこのような仕事をして本を書かせていただくということは、昔の私からすると考えも及ばないことでした。

なぜなら、昔の私は内向的で声が小さく、スムーズにコミュニケーションをとるのが難しい人間だったからです。

たまにこのことをお伝えする機会があると、ほぼ100％「信じられない」と言われます。

ということは、人間って変われるんだということですね。

「できない」「自分には無理」というのは、自分自身がそう決めてしまっているだけで、実際はそんなことはありません。

変化するために学び、知識を得て、実践する。

そうすることで、声、話し方、そこから人生だって変えられます。

特に、**声に関しては、「生まれながらのものだから変わるはずがない」と諦めている方が多いのですが、決してそうではありません。**

声は何歳からでも劇的に変えられます。

世の中にふたつとない、自分だけの魅力あふれる本当の声。

本当の声に出会うことで話し方まで変わり、自分の中の自信スイッチがオンになります。

すると、自己肯定感が上がるだけでなく、周りの人からも信頼を得られ、仕事や人間関係のご縁にも恵まれていきます。

自己肯定感と声や話し方は密接につながっています。

声や話し方が変わることで、自分を認め、自分らしく自己表現し、他者とつながり、自分の人生に責任をもって幸せに生きる人を増やしたい。

私が今、このような活動をしている原点がここにあります。


本を書かせていただくというこの素晴らしい経験は、私だけの力でできたものではありません。

これまで関わってくださった、たくさんの仲間や家族に支えられて実現できたものです。

そして、私の講座やセミナーを受講してくださった、たくさんの方々の変化や成功があるからこそ、この本の中で具体的な事例を紹介できました。


声は自己発電できるエネルギー。

心や体、人生まで変える力をもっています。


いつか、あなたの声を聞かせていただける日がくることを楽しみにしています。

本当の声を取り戻し、どうぞ自分らしい幸せな人生をお過ごしください。

最後に、このような貴重な機会を与えてくださいました、かんき出版編集部の渡部絵理さん、合同会社ＤｒｅａｍＭａｋｅｒの飯田伸一さん、この場をお借りしてお礼を申し上げます。

２０２１年８月吉日

一般社団法人感動ヴォイス協会代表理事　村松由美子

本書を
お読みくださったあなたへ

本書をご購入いただき、ありがとうございます。
感謝の気持ちを込めて、プレゼントを用意しました。
第3章～第4章に掲載した12のヴォイササイズの
実践動画がまとめて見られます！

下記より、アクセスしてください。

https://kanki-pub.co.jp/pages/kandouvoiceall/

このヴォイササイズを習慣化して、
あなたも感動ヴォイスを手に入れましょう。

【著者紹介】

村松　由美子（むらまつ・ゆみこ）

◉――一般社団法人感動ヴォイス協会代表理事。感動ヴォイスクリエイター。伝え方コンサルタント。専門健康心理士。

◉――京都生まれ。大学在学中にテレビのレポーターとしてはじめて「伝える」仕事を経験。就職した企業では広報・ＩＲとしてプレゼンテーションを実施。その後、フリーアナウンサーに転身。テレビ・ラジオのニュースキャスターをベースに、パーソナリティ、レポーターなどを務める。ナレーション・ＣＭソングを担当したラジオＣＭが２年連続ＡＣＣ広告賞受賞。2009年、桜美林大学大学院に入学し、身体心理学における声とメンタルの関係を研究。ヴォイササイズ（声のエクササイズ）で声が変化すると同時に、メンタルアップと印象アップの両方の効果が出ることを、世界ではじめて実証する。2011年、その研究結果を論文にまとめ、ヨーロッパと日本の健康心理学会で発表。2014年、一般社団法人感動ヴォイス協会を設立。

◉――現在は、企業研修講師、セミナー講師として全国で活動し、主にヴォイス・プレゼンテーション・コミュニケーション・メンタルを軸にさまざまな分野のセミナー・研修を行っている。これまでの総受講者数はのべ４万人におよび、受講者満足度も98％と高い評価を受けている。受講者や聞き手を惹きつけ、突き動かしていくための感動ヴォイスを起点にした、感動の空気・空間づくりができる感動ヴォイステラーを育成・支援している。

話《はな》し方《かた》に自信《じしん》がもてる声《こえ》の磨《みが》き方《かた》

2021年９月２日　　第１刷発行
2022年９月１日　　第２刷発行

著　者――村松　由美子
発行者――齊藤　龍男
発行所――株式会社かんき出版
東京都千代田区麴町4-1-4 西脇ビル　〒102-0083
電話　営業部：03(3262)8011㈹　編集部：03(3262)8012㈹
FAX　03(3234)4421　　振替　00100-2-62304
https://kanki-pub.co.jp/

印刷所――シナノ書籍印刷株式会社

　ISBN978-4-7612-7565-5 C0030